【図解】

決定版

科学の理論と定理と法則

理論を知れば世界が見える！

矢沢サイエンスオフィス・編著

ONE PUBLISHING

目次

Contents

第3部 数学の理論・定理・公式

Contents

はじめに
文明の歴史は理論の歴史

本書のタイトルと目次を見ると、一見してとんでもなくめんどうな問題を無差別に並べているように思えるかもしれません。しかし実際には、現代人はだれもが、多かれ少なかれこうした理論や定理や法則を現実化した社会で生活しています。インターネットを日常的ツールとして使い、体調が悪ければ病院に行ってＣＴやＭＲＩの検査を受け、車を運転するときにはカーナビの世話になります。景気の先行きが不安ならエコノミストが経済理論を用いて行う予測が気にもなります。

もしここに取り上げているような科学理論がまったく存在せず、定理や法則を知らないなら、われわれの生活や意識は江戸時代のそれとほとんど変わることがないはずです。それは客観的な根拠をもたず、

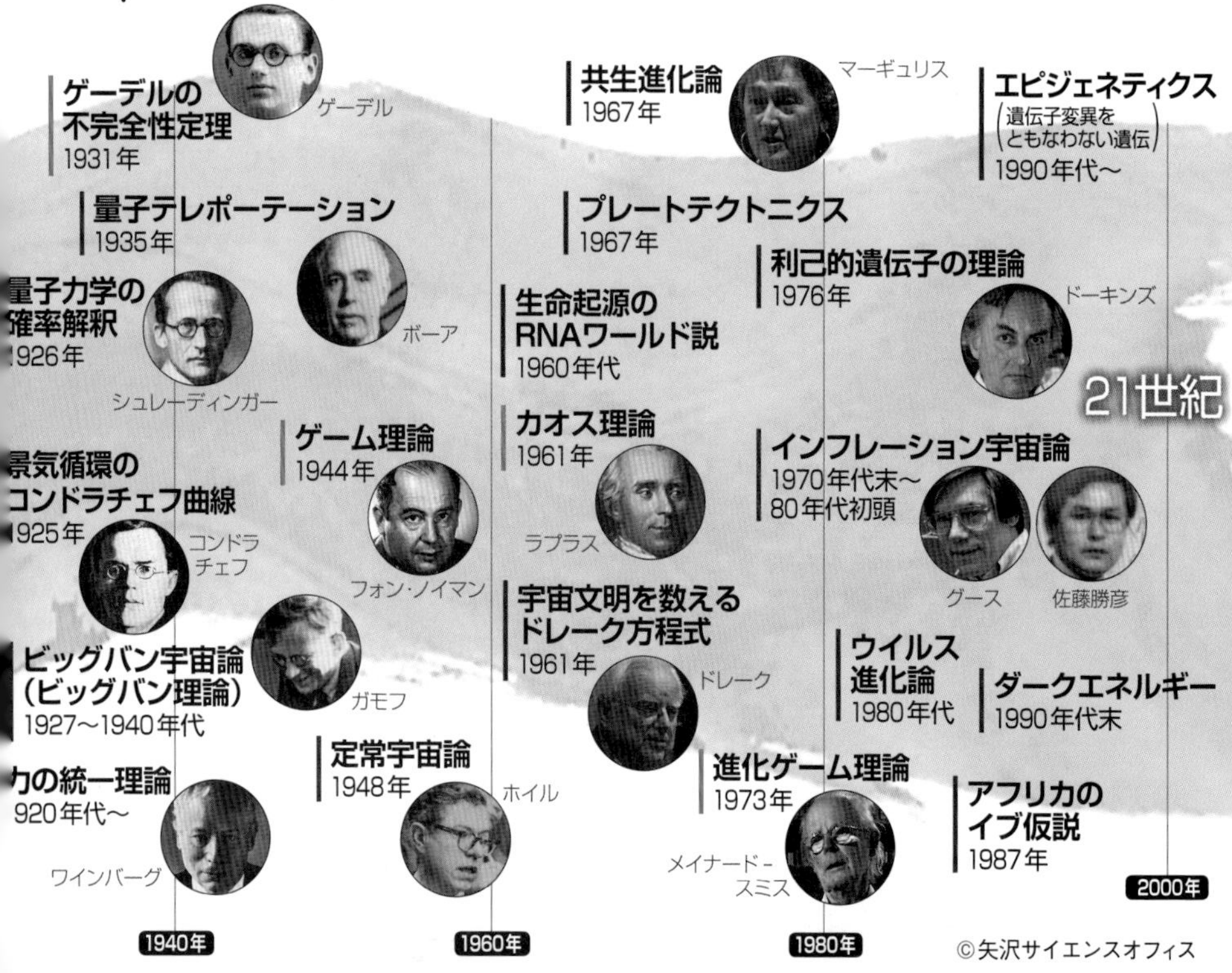

ゲーデルの不完全性定理 1931年
ゲーデル
量子テレポーテーション 1935年
量子力学の確率解釈 1926年
シュレーディンガー
ボーア
景気循環のコンドラチェフ曲線 1925年
コンドラチェフ
ゲーム理論 1944年
フォン・ノイマン
ビッグバン宇宙論（ビッグバン理論） 1927〜1940年代
ガモフ
力の統一理論 1920年代〜
ワインバーグ
定常宇宙論 1948年
ホイル
共生進化論 1967年
マーギュリス
プレートテクトニクス 1967年
生命起源のRNAワールド説 1960年代
カオス理論 1961年
ラプラス
宇宙文明を数えるドレーク方程式 1961年
ドレーク
進化ゲーム理論 1973年
メイナード-スミス
エピジェネティクス（遺伝子変異をともなわない遺伝） 1990年代〜
利己的遺伝子の理論 1976年
ドーキンズ
21世紀
インフレーション宇宙論 1970年代末〜80年代初頭
グース
佐藤勝彦
ウイルス進化論 1980年代
ダークエネルギー 1990年代末
アフリカのイブ仮説 1987年
1940年
1960年
1980年
2000年

©矢沢サイエンスオフィス

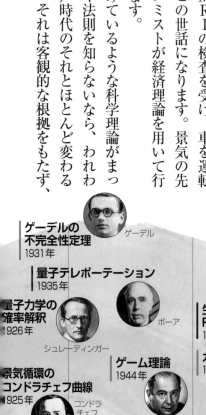

自分の限られた経験や直観や個人的嗜好《しこう》に頼っていた前近代的な時代の生き方です。

では21世紀を生きる現代人がみなニュートン力学や相対性理論や量子力学、あるいはプレートテクトニクスやゲーム理論、さらには数学の定理や法則を知っており、必要なら簡潔に説明できるかと問われれば、多くの人は答に窮《きゅう》するに違いありません。

本書は、科学の時代、理論の時代を生きる現代人が自らの常識や教養につけ加えておくべきそうした知識や理解を、いずれもごく短い読み物風に、つまり数式などを使わずにまとめた類書のないガイドブックです。

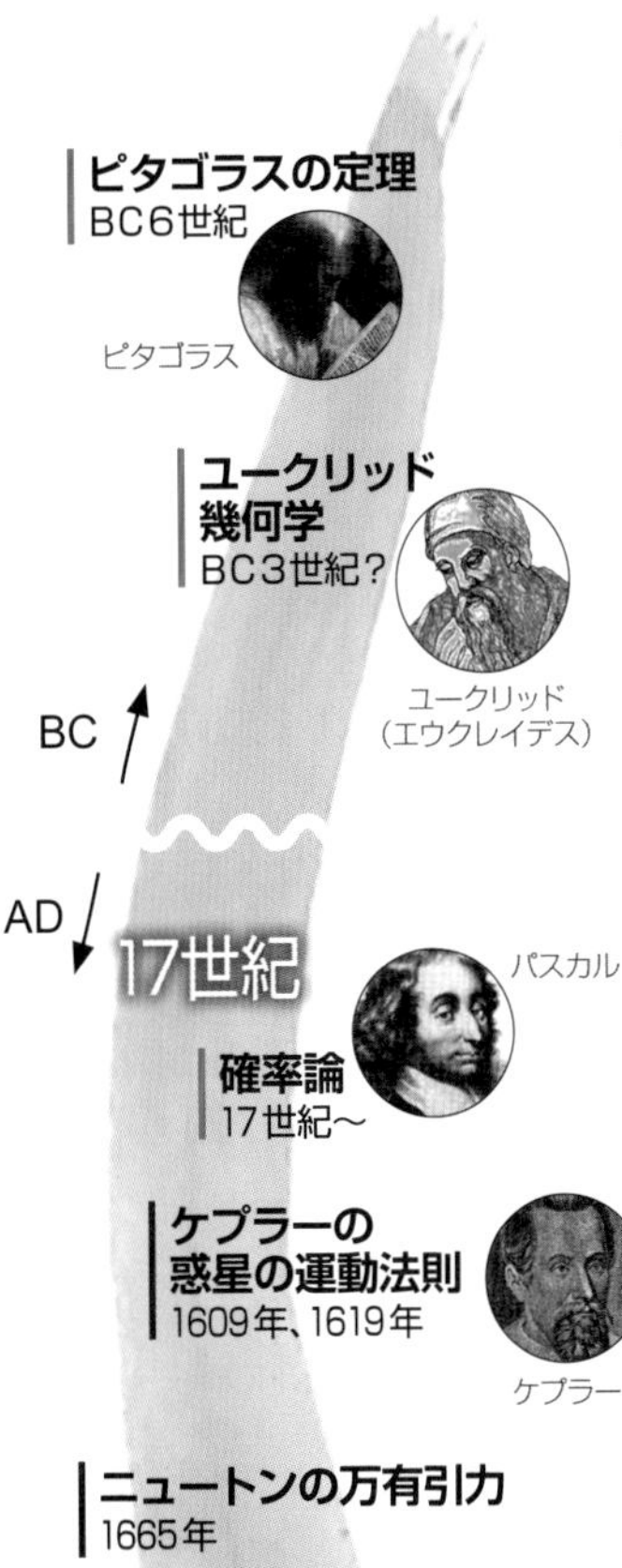

ピタゴラスの定理
BC6世紀
ピタゴラス
ユークリッド
幾何学
BC3世紀？
ユークリッド
（エウクレイデス）
BC
AD
17世紀
パスカル
確率論
17世紀〜
ケプラーの
惑星の運動法則
1609年、1619年
ケプラー
ニュートンの万有引力
1665年

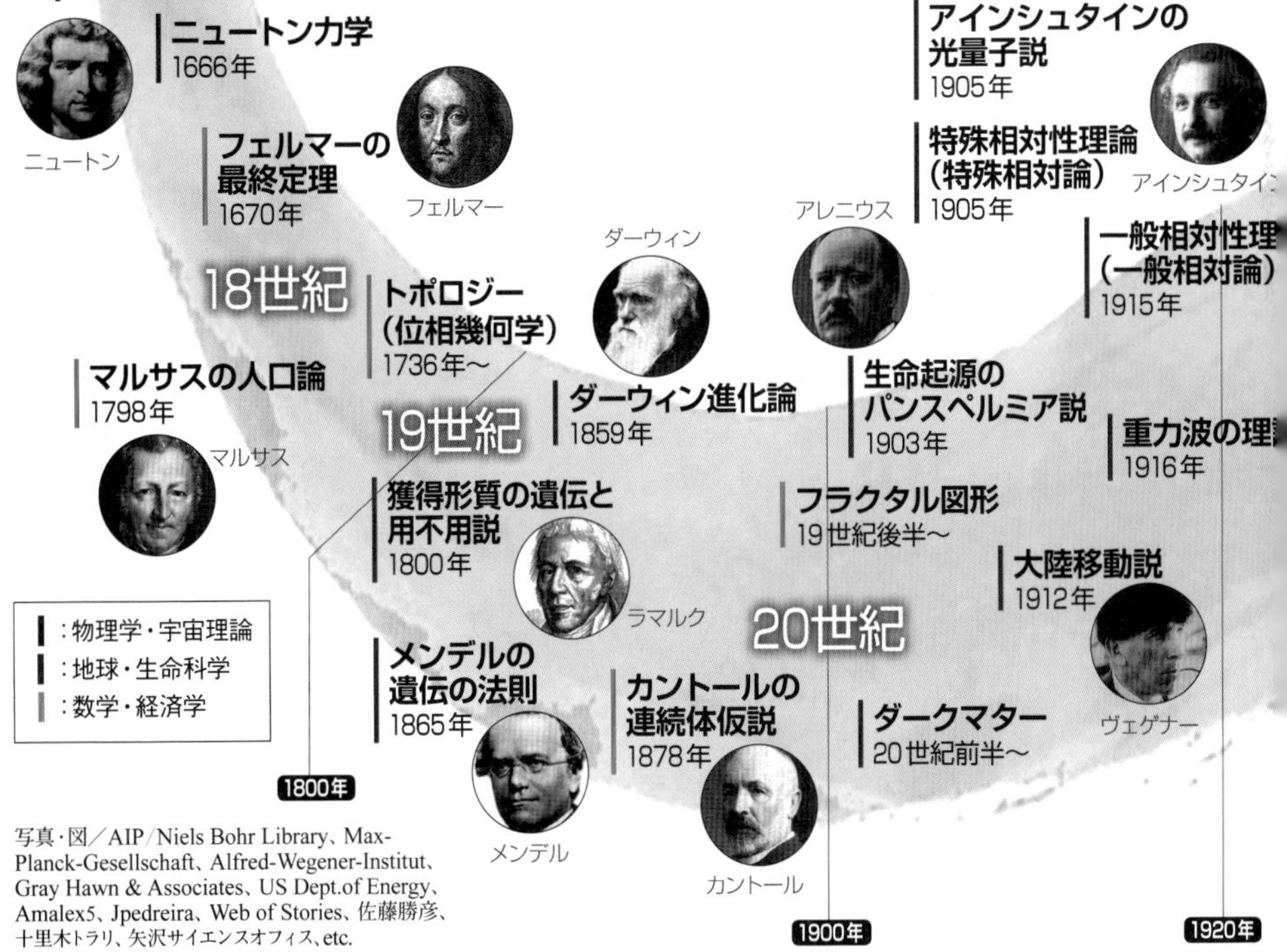

ニュートン力学
1666年
ニュートン
フェルマーの
最終定理
1670年
フェルマー
18世紀
トポロジー
（位相幾何学）
1736年〜
マルサスの人口論
1798年
マルサス
19世紀
獲得形質の遺伝と
用不用説
1800年
ラマルク
ダーウィン
ダーウィン進化論
1859年
メンデルの
遺伝の法則
1865年
メンデル
カントールの
連続体仮説
1878年
カントール
フラクタル図形
19世紀後半〜
20世紀
アレニウス
生命起源の
パンスペルミア説
1903年
アインシュタインの
光量子説
1905年
特殊相対性理論
（特殊相対論）
1905年
アインシュタイ
大陸移動説
1912年
ヴェゲナー
一般相対性理
（一般相対論）
1915年
重力波の理
1916年
ダークマター
20世紀前半〜
1800年
1900年
1920年
：物理学・宇宙理論
：地球・生命科学
：数学・経済学

写真・図／AIP/Niels Bohr Library、Max-Planck-Gesellschaft、Alfred-Wegener-Institut、Gray Hawn & Associates、US Dept.of Energy、Amalex5、Jpedreira、Web of Stories、佐藤勝彦、十里木トラリ、矢沢サイエンスオフィス、etc.

テーマは、物理学、宇宙理論、地球と生命科学、数学、経済学などの分野から偏りなく選んでいます。1ページ目から順に読んでも途中から拾い読みしても何の問題もありません。前ページの図は、それぞれの理論や法則がいつ頃誕生したかを示しています。個々のテーマの時代的な前後関係を見れば、過去2千数百年の人類文明の前進とみごとに重なることがわかると思います。

当然とはいえ、これらの理論や定理を生み出し、発見した人々の多くは、ありふれた秀才や努力家とは異質の人々です。彼らは真に天才的であり、しばしば精神を病む人でさえあり、ときには絶望の果てに自ら命を絶ったり、教会や時の権力によって処刑されるような人々でもあります。そこには真理を追求する人間の、常人とはかけ離れたきわめて純粋な顔をうかがい知ることができます。

本書を読み終えたとき、読者は物理学や宇宙理論、生物学や数学の世界をちょっと身近に感じられるのではないでしょうか。そしてすぐにも友人などに、ニュートンの運動の3法則とは、アインシュタインの特殊相対性理論と一般相対性理論の違いは、量子力学の確率解釈とはなどと語ることができるはずです。望むならパンスペルミア説（生命の宇宙起源説）や利己的遺伝子の理論、景気変動のコンドラチェフ曲線などについても。

ちなみに本書は、2016年に初版を発行した同名の本を最新化し、取り上げるテーマを取捨選択、同時に一部カラー化などを行って新版としたものです。

2020年秋　矢沢　潔

第1部

宇宙と物質と力の理論

図／十里木トラリ

ニュートンの「万有引力の法則」

質量をもつ物体どうしが引き合う力

黒死病が蔓延するヨーロッパ

ヨーロッパは14世紀から19世紀にわたる何百年もの間、ほとんど毎年のように**黒死病**《こくし》（典型的なペスト。腺《せん》ペスト）の大流行を経験した。ときには、この恐るべき感染症によって国々の人口の3分の1以上が死に、住人全員が死に絶えた町や村も少なくなかった。

1665年、またもヨーロッパ大陸から腺ペストがイギリスに広がってきた。このときケンブリッジ大学にいた自然哲学者**アイザック・ニュートン**（**図1**）はまだ感染があまり広がっていない故郷に避難《ひなん》し、そこで2年を過ごした。そしてこの間に彼は、いまや知らぬ者のない「**万有引力の法則**」を発見したのだ。

だがニュートンは、この発見を長い間だれにも漏《も》らさなかった。それは自ら発見したこの法則の正しさに確信をもてず、また他の科学者たちから誤りなどを指摘され非難されることを恐れたからである。

それから19年後の1684年、彼は高名な天文学者**エドモンド・ハレー**（ハレー彗星の発見者）と、**ヨハネス・ケプラー**の発見した**惑星の運動法則**（13ページ**コラム**）について議論していた。そしてつい、「その法則の問題については私が20年も前に解明ずみだ」と口走ってしまった。

図1➡ニュートンは1665年に万有引力の法則を思いつき、それが後の著書『プリンキピア』の出発点となった。　図／A Temple of Worthies

これを聞いたハレーはニュートンにその研究をすぐに発表するよう促《うなが》した。こうして出版されることになったのが、その後の物理学に圧倒的影響力を及ぼすことになる『**プリンキピア**』（原題「自然哲学の数学的諸原理」。12ページ**図4**）であった。

この著書には、科学の歴史上最大級の業績となる「**運動の3法則**」と「**万有引力の法則**」が記されていた。ここではさしあたり万有引力を取り上げ、運動の3法則については次項「ニュートン力学」で見ることにする。

この世界では、力は瞬時《しゅんじ》に、または持続的に作用する。野球のバットがホームランを打つとき、バットの力は瞬時にボールに伝わる。だが打たれて空中に飛んだボールはどこまでも飛翔《ひしょう》することはなく、引力に引っ張られてしだいにかつ連続的に地上に落ちてくる。ニュートンは、（野球ではないが）空に投げ上げられたボールが落下していく軌道を観察していてその法則性に気づいたともいう（**図2**。一般には〝木の枝から落ちるリンゴ〟を見て、とされているが）。

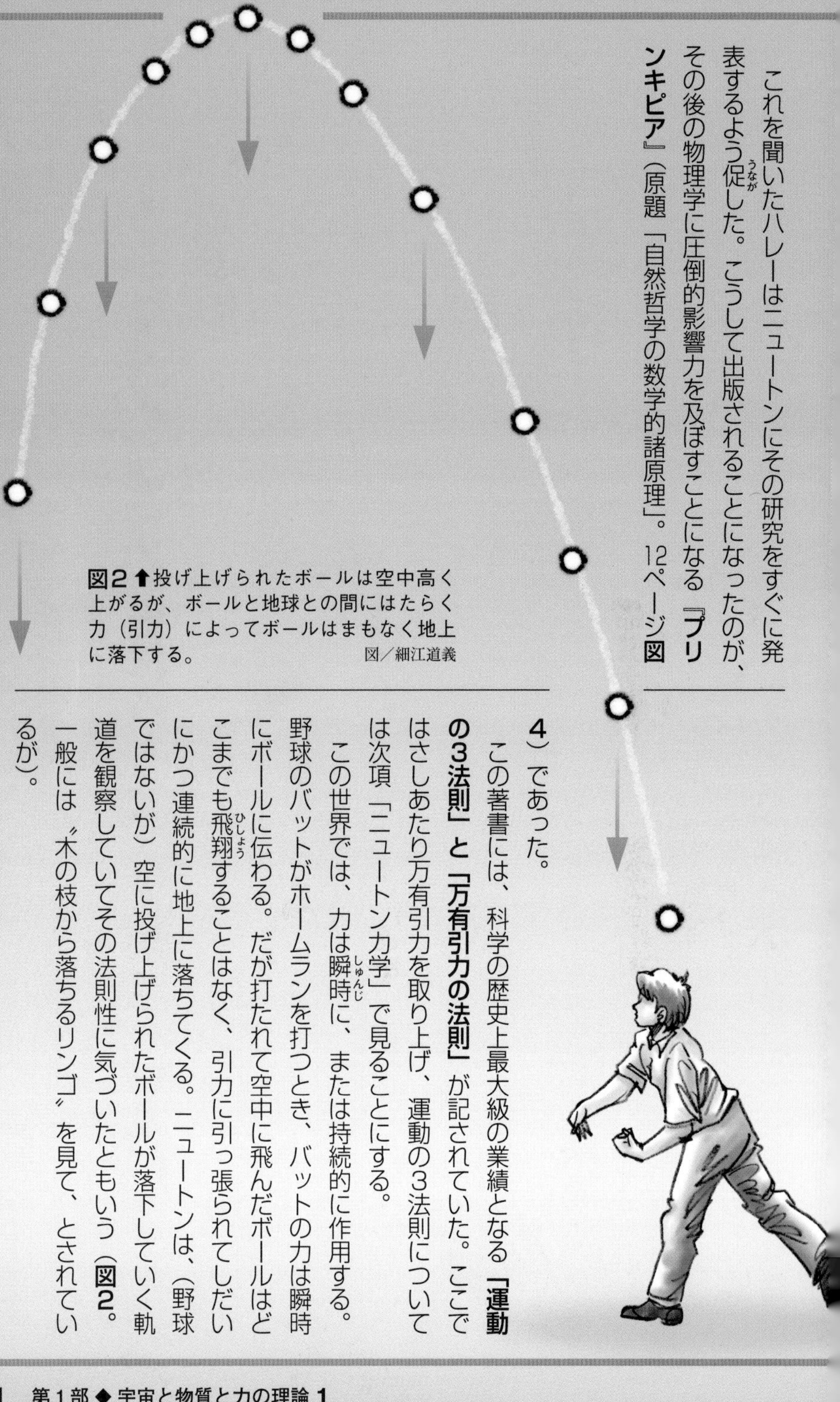

図2⬆投げ上げられたボールは空中高く上がるが、ボールと地球との間にはたらく力（引力）によってボールはまもなく地上に落下する。　図／細江道義

だが引力の正体はわからない

ニュートンはまず、**質量をもつ物体は何であれ、他の質量をもつ物体との間で〝引き合う力（引力）〟を及ぼしあう**と仮定した。そして質量が大きい物体ほどその引力も大きいと。

この引力の性質をさきほどのボールにあてはめるとどうなるか。空に向かって飛んでいるボールには地球の重力が引力として作用しているので、ボールはつねに下向きに引っ張られ、結果的にボールの上向きの速度はしだいに遅くなる。そしてついにボールは地上に落下する。

このとき、ボール自身も小さいながら質量をもっているので、それは地球を自分のほうに引き寄せようとする。ボールの質量より地球の質量のほうがはるかに大きいので、地球がボールに引き寄せられる効果は小さすぎて見分けがつかない。しかし、地球の衛星である月が地球の〝潮の満ち引き〟を起こすことを思えば、小さい物体もまた大きな物体を引きつけることがわかるであろう。

いま見たように、あらゆる物体はその質量に比例した引力（重力）をもつので、この力は普遍的な力、すなわち「**万有引力**」と呼ぶことができる。

著書の中でニュートンはこの力を次のように説明している――「地上において質点（物体の質量の中心）は地球に引き寄せられるだけではなく、この宇宙においてはどこでも、すべての質点がたがいに引き寄せる力（引力、重力）を及ぼしあっている」

ニュートンの万有引力の法則を用いれば、太陽を公転する惑星の運動を説明できる。つまりこの両者の間にはたらく引力の大きさは、「（ケプラーの法則から）両者の距離の2乗に反比例し、惑星の質量（正確には太陽と惑星の質量

図3⬆イギリスのウールズソープにあるニュートンの生家。誕生前に父が死に母が再婚したため、彼は祖母に育てられた。

写真／Netean

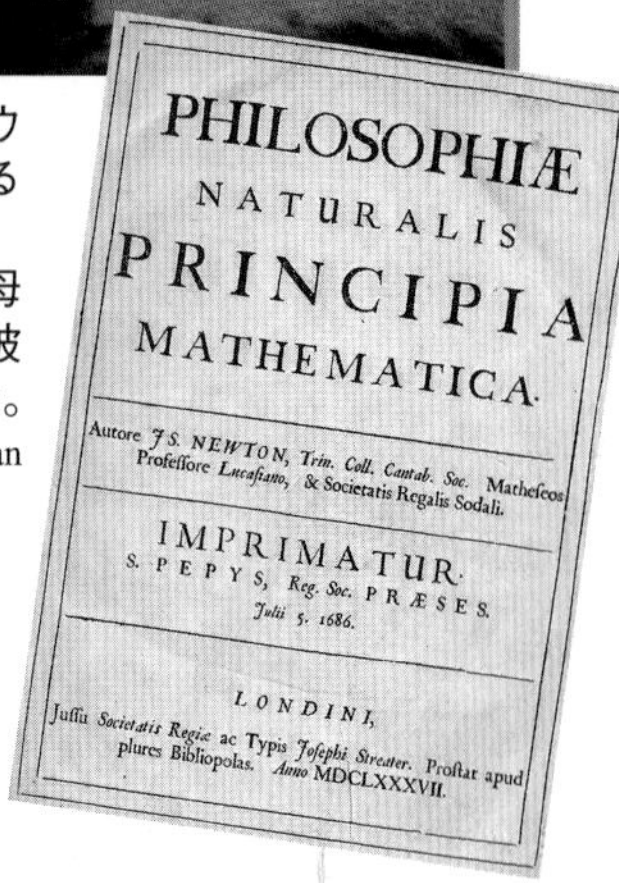

図4➡万有引力の法則について詳述した著書『プリンキピア』の表紙。

COLUMN

ケプラーの惑星の運動法則

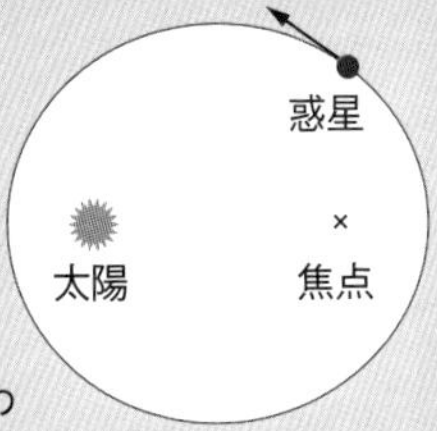
惑星
太陽
焦点

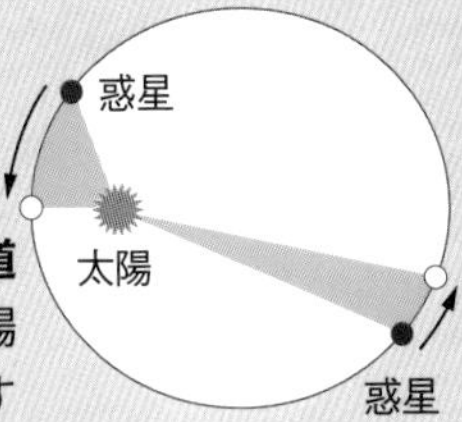
惑星
太陽
惑星

図5 ⬅⬇第１法則（左）と第２法則のイメージ。

　太陽や惑星も含め、宇宙は地球のまわりをまわっている（**天動説**）と信じていた中世ヨーロッパ。この説は当時の社会を完全に支配していたカトリック教会の教えに従ったものだった。

　16世紀後半、デンマークの天文学者**ティコ・ブラーエ**はデンマーク王から贈られた天文台で惑星などの軌道をくわしく観測し、死後にそのデータを残した。ブラーエの助手であった**ヨハネス・ケプラー**は残された観測データをくわしく調べ、地球その他の惑星は太陽をまわっていることを発見した（**地動説**）。そして惑星の公転運動のしかたから以下の３つの運動法則を導いた。

第１法則（楕円軌道の法則）：惑星は太陽を焦点のひとつとする楕円軌道を描いて公転している（**図5**）。

第２法則（面積速度一定の法則）：惑星の移動を示す扇型（図５右の青色部分）の面積は、移動にかかる時間が同じならつねに一定である。

第３法則（調和の法則）：太陽－惑星間の平均距離の３乗は、惑星の１公転時間（周期）の２乗に比例する（**図6**）。

　後のニュートンは、この「**ケプラーの惑星運動の３法則**」から出発して万有引力の法則を思いついた。

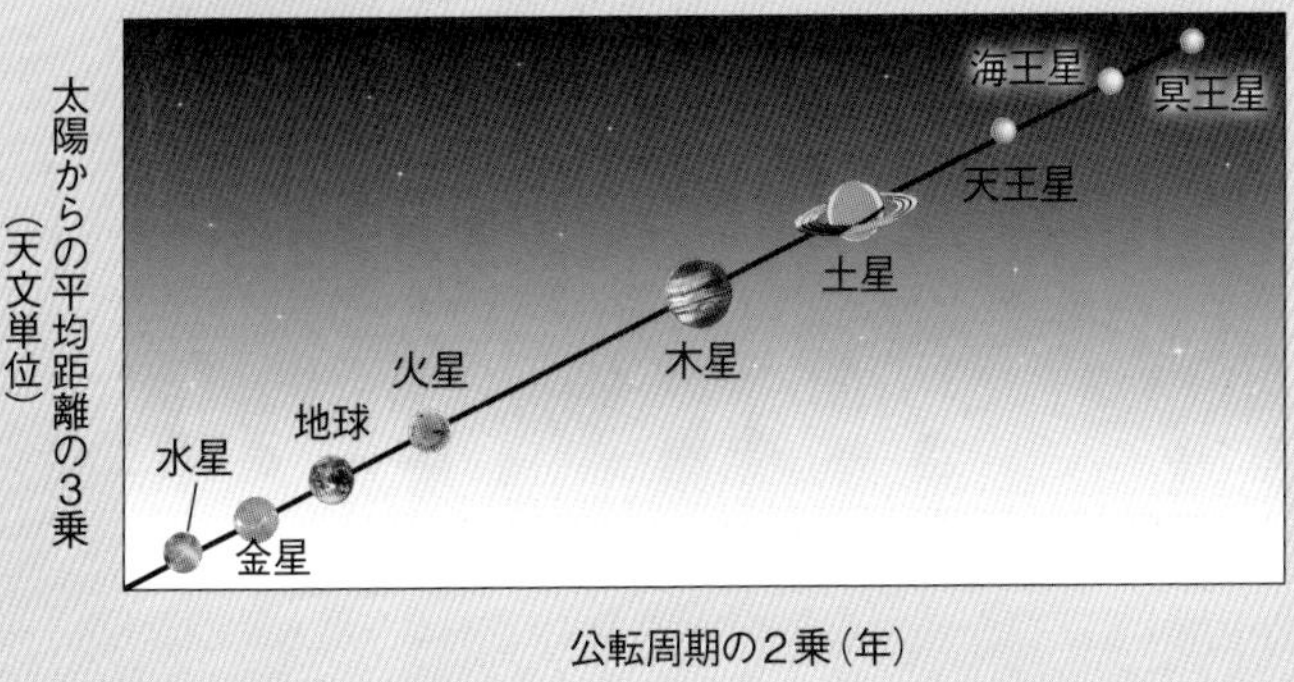
太陽からの平均距離の３乗（天文単位）
水星
金星
地球
火星
木星
土星
天王星
海王星
冥王星
公転周期の２乗（年）

図6
⬅第３法則。惑星の太陽からの距離と公転周期の間には明らかな数学的関係がある。

の積）に比例する」。そしてこの関係は天体にとどまらず、あらゆる物体どうしの間にあてはまる。

　この偉大な発見にもかかわらず彼が20年近くも万有引力の法則を公表しなかったのは、この力が遠く離れた物体どうしの間で**〝遠隔力〟としてどのように作用するかがわからなかった**からだ。彼は引力を説明する世界最初の科学者となったものの、そこより前に進むことはできなかった。引力が現代的な**重力（「場の理論」を用いた近接作用）**として説明されるには、彼から2世紀後の20世紀はじめに登場した**アインシュタインの「一般相対性理論」**（別項）を待たねばならなかったのだ。■

ニュートン力学

物体の運動を説明する法則の体系

図1　第1の法則

⬆ひとたび宇宙に送り出された惑星探査機は、その速度を保ったままどこまでも飛びつづける。何億km、何兆kmのかなたまで。これはニュートンの第1の法則（慣性の法則）のゆえだ。

イラスト／NASA's Ames Research Center

3つの運動法則が語るもの

「**ニュートン力学**」とは、現代に生きるわれわれが日々用いている力学の体系のことだ。この語と意味は、アインシュタインの「**相対性理論**」やこれと同じころに生まれた「**量子力学**」との対比として用いられる。

17〜18世紀の自然哲学者**アイザック・ニュートン**（10ページ図1）は、有名な「**運動の3法則**」（後述）を打ち立てたことで知られる。ただしこれらの法則はすべてニュートンのオリジナルということではない。彼以前に、ガリレオ・ガリレイやルネ・デカルトなどによる先駆的《せんくてき》業績があり（左ページ**コラム**）、それから100年以上後の17世紀後半になって、ようやくニュートンにより一応の完成を見たという歴史の産物である。

その間にニュートンは、ドイツの哲学者・数学者**ライプニッツ**との間で当時の社会があきれたような先取権《せんしゅけん》争い——どちらが先に微分法・積分法を考えついたか——などさまざまな世俗的トラブルを起こしてもいる。

図2 第2の法則

➡物体をある力で押している間、物体はその力の大きさに比例する加速度で運動する。ただし図中のボールは棒を離れた瞬間、慣性の法則によって転がりはじめる。

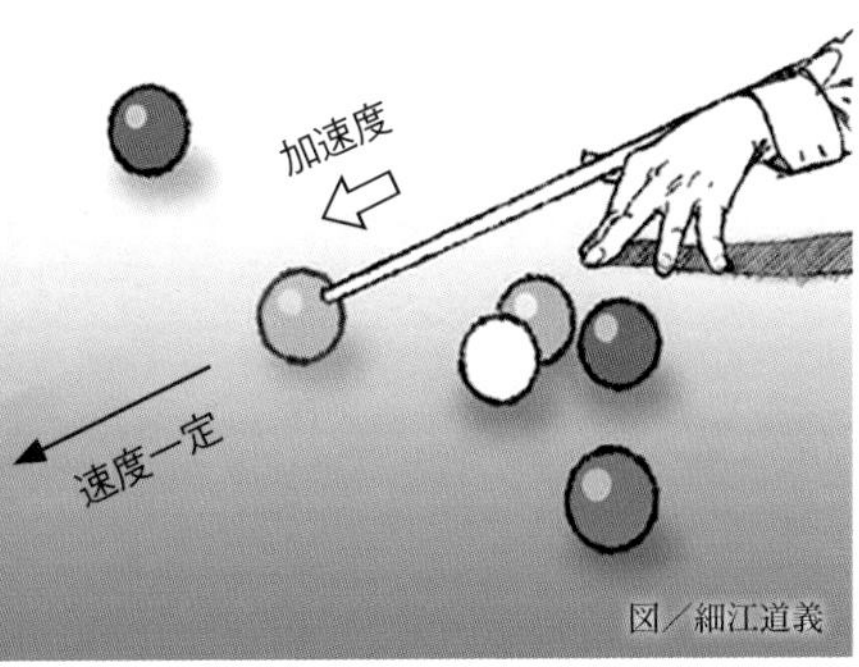

ともあれ、こうして完成したニュートン力学の根幹である3つの運動法則とは次のようなものだ。

第1の法則（慣性の法則）

どんな物体も外部から力を加えないかぎり、静止しつづけるかまたは運動しつづける。 たとえば宇宙空間に打ち上げられた惑星探査機は、ロケット噴射を止めても、その速度を保ったままどこまでも飛びつづける（**図1**）。

第2の法則（運動の法則）

物体が力を受けると、その力と同じ方向に動く。そのときの運動の大きさ（加速度）は受けた力に比例し、物体の質量に反比例する。 いいかえるとこのときの力＝物体の質量×加速度である。たとえばビリヤード（玉突き）でキュー（玉突き棒）を使ってボールを突くと、ボールが棒を離れるまでの加速度にこの法則が現れる（この事例では摩擦《まさつ》抵抗などを差し引いて考えねばならないが。**図2**）。

第3の法則（作用反作用の法則）

物体Aが物体Bから力を受けるときには、同時にBもA

COLUMN

力学のパイオニア

イタリアの数学者・天文学者ガリレオ・ガリレイ（**上図**）は17世紀はじめ、自作の望遠鏡で太陽の黒点や金星の満ち欠け、木星の衛星を発見し、コペルニクスの地動説が正しいことを確信した。そしてこれをまとめた著作を発表すると、カトリック教会の宗教裁判で有罪を宣告され、軟禁されたまま生涯を閉じた。

フランスの哲学者・数学者・自然科学者ルネ・デカルト（**下図**）はガリレオの力学研究を受け継ぎ、著書『哲学原理』で３つの自然法則を述べた。第１／何物も外的要因によらないかぎり静止しない、第２／すべての物体は直線的にのみ運動しつづける（この２つはその後慣性の法則と呼ばれる）、第３／物体が運動を変えるのは直接的接触つまり衝突によってのみである。しかし彼は実験や観測で確かめるのではなく、神をもち出してこの法則性の正しさを確信した。

図3 第3の法則

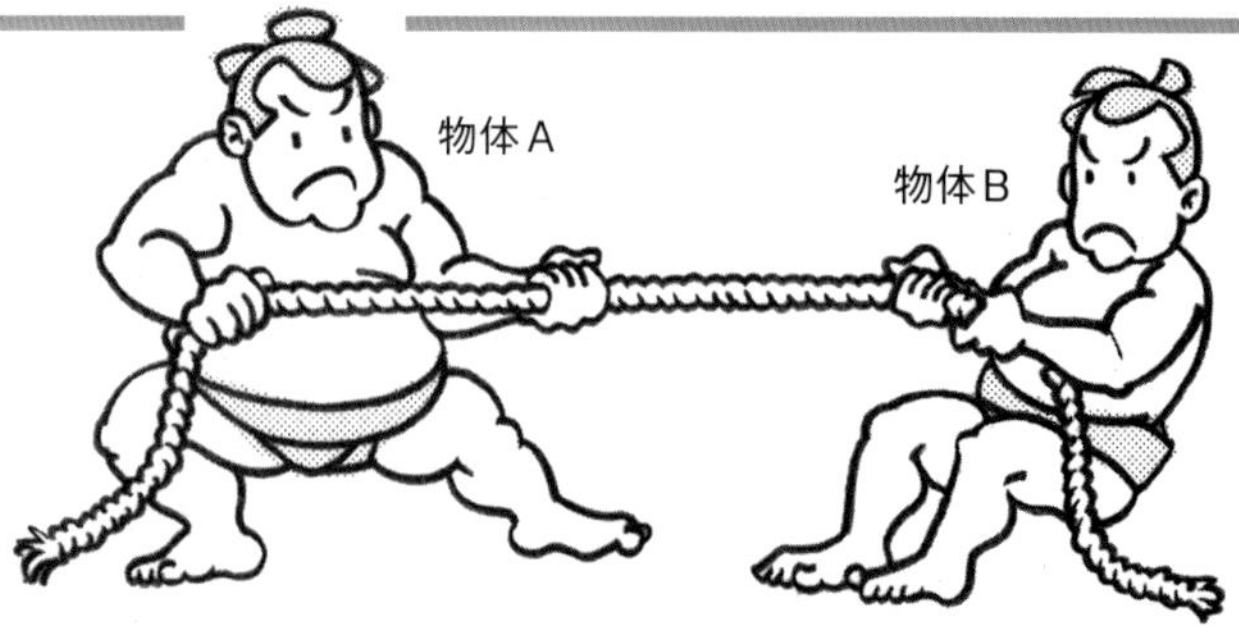

➡物体AがBから力を受けると、同時にBもAから力を受ける。両者の力の方向は逆向きだが大きさは同じである。

図／細江道義

から同じ力を受ける。両者の力の方向は逆だが大きさは同じである。たとえば2人の力士が綱引きをするとき、両方の力士が生み出す力はそれぞれ同じであり（**図3**）、向きが逆である。一方の力がまさったときにこの作用反作用の法則が崩れる。

理想化された〝点〟についての法則

ニュートンはこれらの運動法則を1687年に発行した著作『**プリンキピア**』（原題「自然哲学の数学的諸原理」）で発表し、その後これらの法則を用いて身のまわりのさまざまな物体や構造物の運動を説明しようとした。そして後にこの書の改訂版で、これらの法則と彼自身が発見した「**万有引力の法則**」（10ページ参照）とを組み合わせると、かつて**ヨハネス・ケプラー**が発見した「**惑星運動の法則**」（13ページコラム）を説明できることを明らかにした。

ただしニュートンが自らの法則で説明した物体はみな、これらの法則で**扱いやすい仮想的な点**（**質点**《しつてん》。大きさのない粒子のようなもの）であった。**現実の世界にはそのような物体は存在しない。**リンゴも人間も惑星もみな点からはほど遠い複雑な形と大きさをもち、たえず地面を転がったり水面を流れたり風に吹かれたり、あるいは宇宙空間で自転したりしている。

こうした現実の物体の運動により即した法則は、ニュートンより1世紀以上後に別の物理学者たちがニュートンの法則の修正版として考え出したものの、それでもなおそれらの法則は普遍的とは言えない。これらの運動法則を使ってもタンポポの綿毛《わたげ》がどこに飛んでいくかをまったく予測できないところを見ると（**図4**）、自然界はいまもその素顔のごく一部しか人間に見せていないのだ。■

図4 ➡タンポポがどこに飛んでいくかはニュートンの法則では説明できない。図／十里木トラリ

アインシュタインの「特殊相対性理論」

時間と空間は伸び縮みする

時間と空間がとけ合った4次元時空

われわれは日常生活の中で、**時間はつねに一定の速さで過去から未来へと流れ、また空間はどこまでも無限に広がっていると感じている。**

時間の進み方は、昔ながらの時計の針の動きやデジタル時計の数字の変わり方に出ている。つねにチクタクチクタクと時は刻まれている。他方、天体望遠鏡で観測する宇宙空間は見わたすかぎり静寂《せいじゃく》とともに広がっており、どこかがふくらんだり縮んだりしているようには見えない――これはわれわれの肌感覚でもある。

実際、17世紀イギリスの自然哲学者**アイザック・ニュー**

図1⬆1896年、スイスのギムナジウム（中等教育校）で同校生と記念撮影におさまる若きアインシュタイン（前列左端）。写真／ETH-Bibliothek Zürich, Bildarchiv/Fotograf: Unbekannt/Portr_10397/Public Domain Mark

トンも時間と空間をそのように定義した。彼の力学——いわゆる「**ニュートン力学**」——では時間と空間はそれぞれ独立して存在し、人間はそれらの絶対的制約の中で生きているとしたのだ。

　だが、だれにも当然であったこの見方が根底からくつがえるときが訪れた。1905年、スイスの特許庁の一職員にすぎなかった**アルベルト・アインシュタイン**（17ページ**図1**）が、静的で変化のない時間と空間を真っ向から否定する新理論を発表したのだ。「**特殊相対性理論**」である。

　アインシュタインのこの理論は「**光の速度は真空中ではつねに一定**」という理論的・観測的事実から出発していた。同じスピードで飛ぶロケットどうしがすれ違えば、相手のロケットは2倍の速度で観測される。またロケットが並んで飛んでいれば、たがいに相手のロケットは止まっているように見える。では、ロケットがむこうからやってくる光とすれ違ったとき、光の速度はより速く観測されるのか？　また光と同じ方向にロケットが飛べば、光の速度は遅く感じられるだろうか？　どちらも答は「ノー」である。

　光は、観測者がどこにいようがどのように運動していようが、その速度は同じにしか見えない（秒速30万キロメートル）。これは光の本来の性質なので、理由は説明できない。ともかく光速度はつねに一定なのだ。

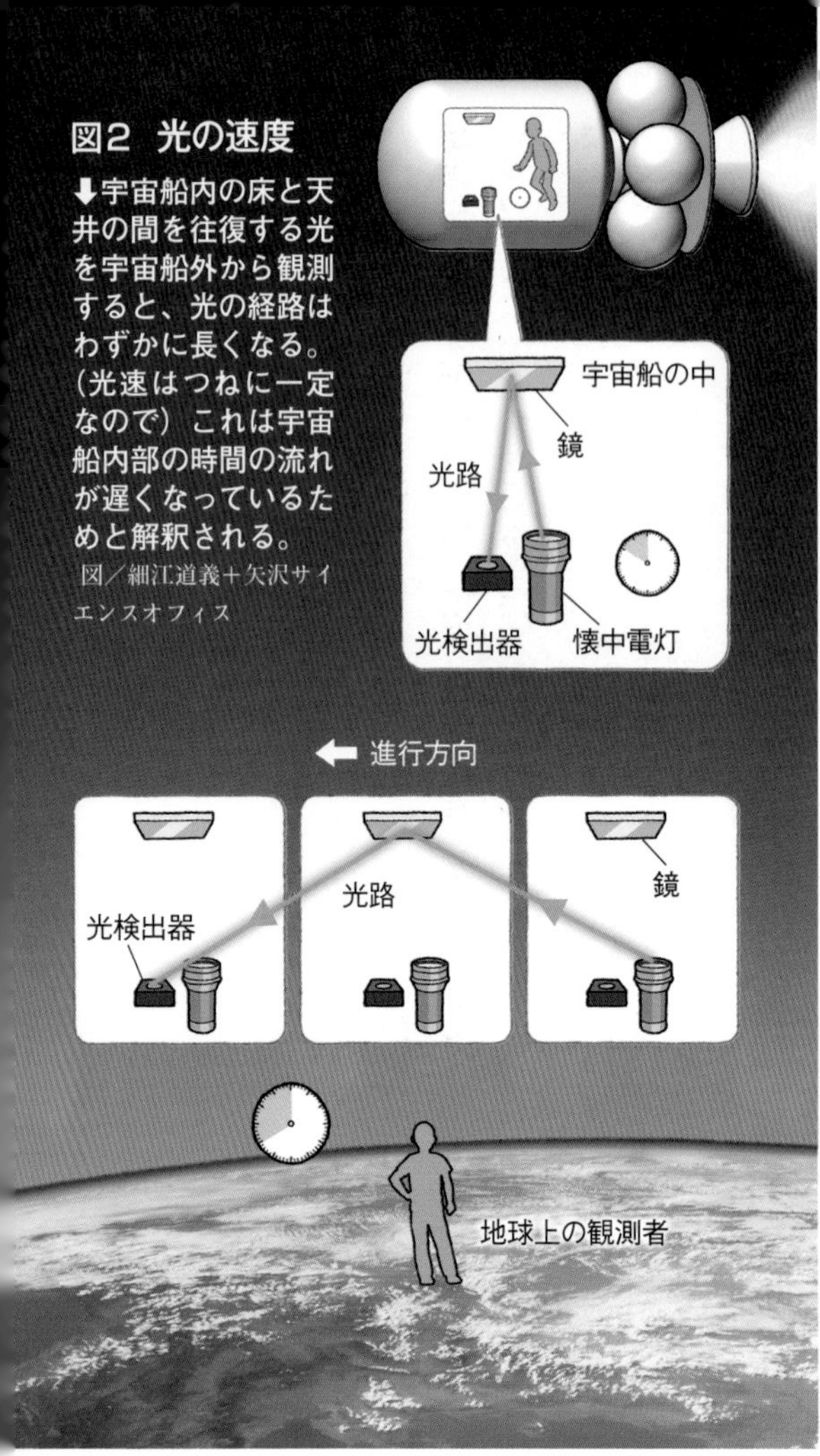

宇宙船の中
鏡
光路
光検出器
懐中電灯
進行方向
光路
光検出器
鏡
地球上の観測者

図2　光の速度

⬇宇宙船内の床と天井の間を往復する光を宇宙船外から観測すると、光の経路はわずかに長くなる。（光速はつねに一定なので）これは宇宙船内部の時間の流れが遅くなっているためと解釈される。

図／細江道義＋矢沢サイエンスオフィス

地上と宇宙では時間の流れ方が違う？

だがこのことは奇妙な問題を引き起こす。たとえば高速で飛ぶロケットの内部で光を天井の鏡に当てて反射させる（図2）。地球上からこの実験を観察すると（見えたとしたらの話だが）、光は斜め方向に移動する。とすれば、**光が反射して戻るまでの時間は、地球上から観察したときのほうがロケットの中の時間より長くかかることになる**。同じ現象を観察しているはずなのにである。

このようなパラドックス、すなわち常識に反する論理をどう考えればよいのか物理学者たちは迷った。だがアインシュタインの答はこうであった。「**光の速度はどの観測者から見ても絶対的で変わらない。とすれば、ロケットの中では時間が遅れていると考えるしかない**」と。

つまりこの例でいえば、地球上の人間は次のように解釈する。「ロケット内で光の反射がより短い時間で観測されたのは、ロケット内では時間がゆっくり流れているからだ——」

物理法則は、宇宙のどこでも、またどの観測者にとっても同じはずである。これを「**相対性原理**」という。この前提に立つとき、光速が一定なら、光速に近いスピード（亜光速）で動く物体にはさまざまなパラドックスが生じる。これらの問題を解決するには、「**亜光速で運動する物体の時間はゆっくり進み、物体の長さは縮《ちぢ》み、質量は重くなる**」と考えるしかない。

これは、物体が光速に近づけば近づくほどその質量は増大してついには無限大へと近づき、同時に時間はほぼ停止してしまうことを意味する。これをいいかえるなら、「**物体はけっして光速で運動することはできない**」ということである。

こうして特殊相対性理論は、200年にわたって維持されてきたニュートン力学のいう「**絶対時間**」や「**絶対空間**」を否定することになった。かわりにこの理論が**唯一絶対の尺度としたのは光の速度**であった。

特殊相対性理論では、ニュートンのいう絶対空間のような静止した座標は想定せず、**それぞれの観測者がたがいに等速で運動している座標の中にいる**とみなす。ただし、回転する座標や加速度運動をしている座標をこの理論で説明することはできない。それを行うには、この理論を**一般相対性理論**（20ページ参照）へと拡張する必要があった。■

アインシュタインの「一般相対性理論」

4次元時空をひずませる重力の理論

落下するトタン屋は重力を感じない

ここはアフリカ西岸沖合のプリンシペ島。1919年5月29日、その日は朝から風雨がはげしく、イギリスの天文学者**アーサー・エディントン**を落胆《らくたん》させた。彼はいま、日食観測のため赤道直下のこの島に滞在していた。日食が起こる瞬間に太陽の近くに見えるはずの星を観測するためだ。この観測により、**アインシュタイン**が1915年に提出した「**一般相対性理論**」の正否が確かめられるはずだからである（後述）。

一般相対性理論は重力の理論とも呼ばれるが、その出発点は「**特殊相対性理論**」（前項参照）を拡張して一般化する（＝より広範囲にあてはめられるようにする）ことにあった。特殊相対性理論は、観測者がたがいに一定速度で動くときの時空だけを前提にして論じていた。では観測者が「加速度運動」[★1]していたらどうなるのか？

アインシュタインはあるとき新聞で〝屋根から転落して助かったトタン屋〟の記事を読み、「彼

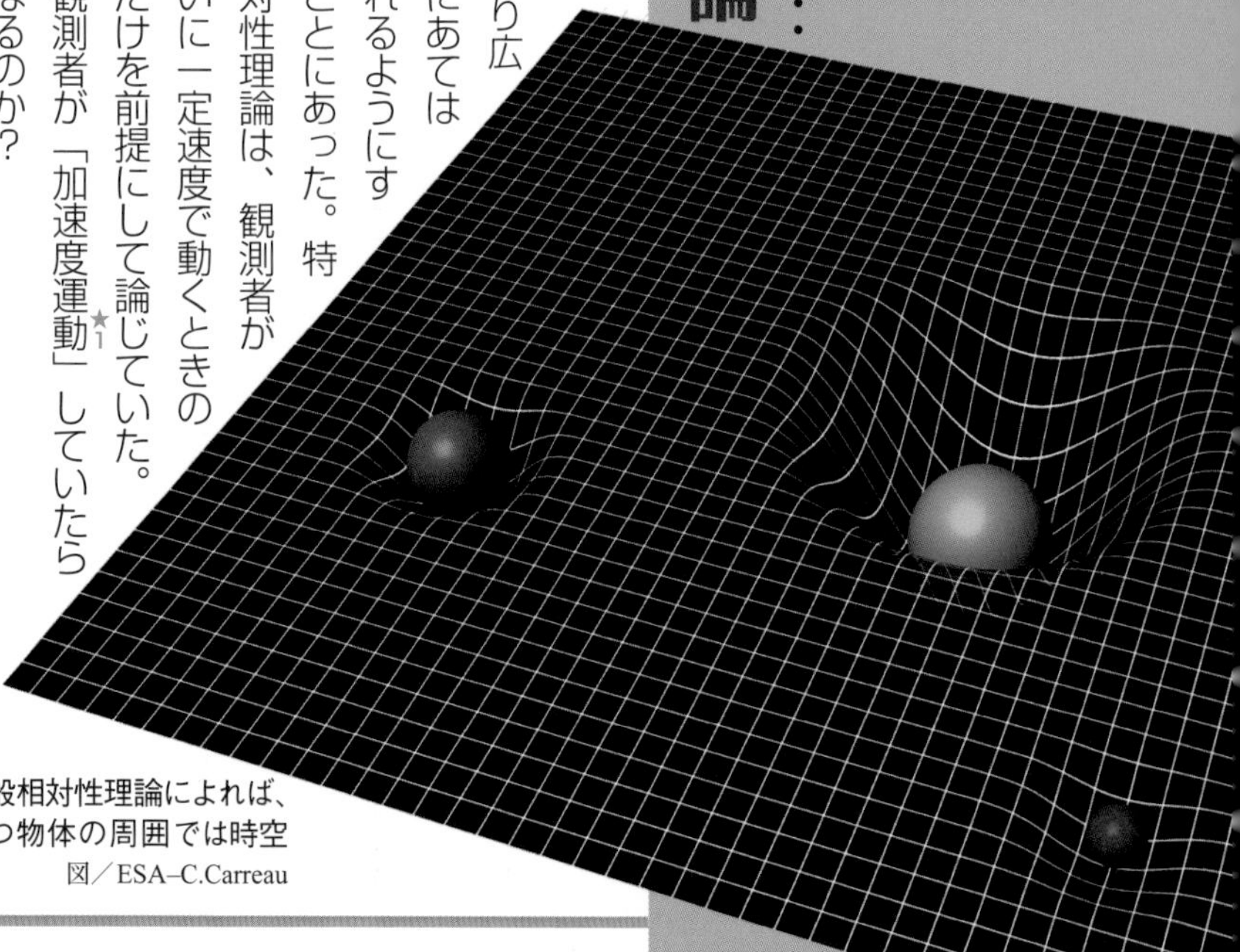

図1 ➡一般相対性理論によれば、質量をもつ物体の周囲では時空はひずむ。 図／ESA–C.Carreau

は落下中、重力を感じなかったはずだ」と推測した。そしてこのことから、地球が人間を引きつける「重力」と転落する人間の運動の「加速度」は本質的に等しい（＝等価《とうか》である）と考え、これを「**等価原理**」と呼んだ。

　そこでアインシュタインは次のような思考実験（＝頭の中で試すだけの実験。たとえ話）を考えた。

――重力を周囲に及ぼす地球のような物体が近くに存在しない空間に、人間の乗ったエレベーターが存在する。エレベーターが加速しながら上方へ運動するとき、内部の人はその加速度を感じる。つまり自分が自らの体重で床に押しつけられていると体感する。だがそれが**加速度か重力かを見分けることはできない**。もしこのときエレベーターの内部から外に向けて光を水平に放つと、エレベーター内の人間には光がやや下に向かって放出されたように見えるはずだ（**図2**）。同じことは重力でも起こる。これは「重力も光を曲げる」ということであろう――

図2 アインシュタインの思考実験

⬆加速するエレベーターの中で光を放つと、その光は斜め下方に向かっているように見える。 図／矢沢サイエンスオフィス

　そこでアインシュタインは、「光が曲がる」とは何を意味するのかを考察し、最終的にそれは「**時空が曲がっていることである**」との結論に達した。つまり重力は時空を曲げる（ひずませる）ので、その時空を伝わる光が曲がって見えるというのだ。彼はこの重力と時空の理論を方程式（22ページ**図3**）で表し、「一般相対性理論」として発表したのだった。

　当時の天文学者は、太陽系惑星のうちもっとも内側をまわる**水星の公転《こうてん》軌道《きどう》**がニュートン力学で予測される軌道からわずかにずれていることを知っていた。しかしその原因がわからず頭を悩ませていた。だが一般相対性理論は太陽の重力による空間のひずみが原因であることを示した。

　アインシュタインはさらに、一般相対性理論が正しければ存在するはずの現象をいくつか予言した。

①**重力レンズ効果**――巨大な質量をもつ天体（巨星、巨大

用語解説

★1 加速度運動
外部の力が作用している物体の運動。速度は時間とともに変化し、単位時間あたりの変化率が加速度で表される。重力による自然落下や万有引力による惑星の軌道運動などが代表的。

図3 アインシュタインの方程式

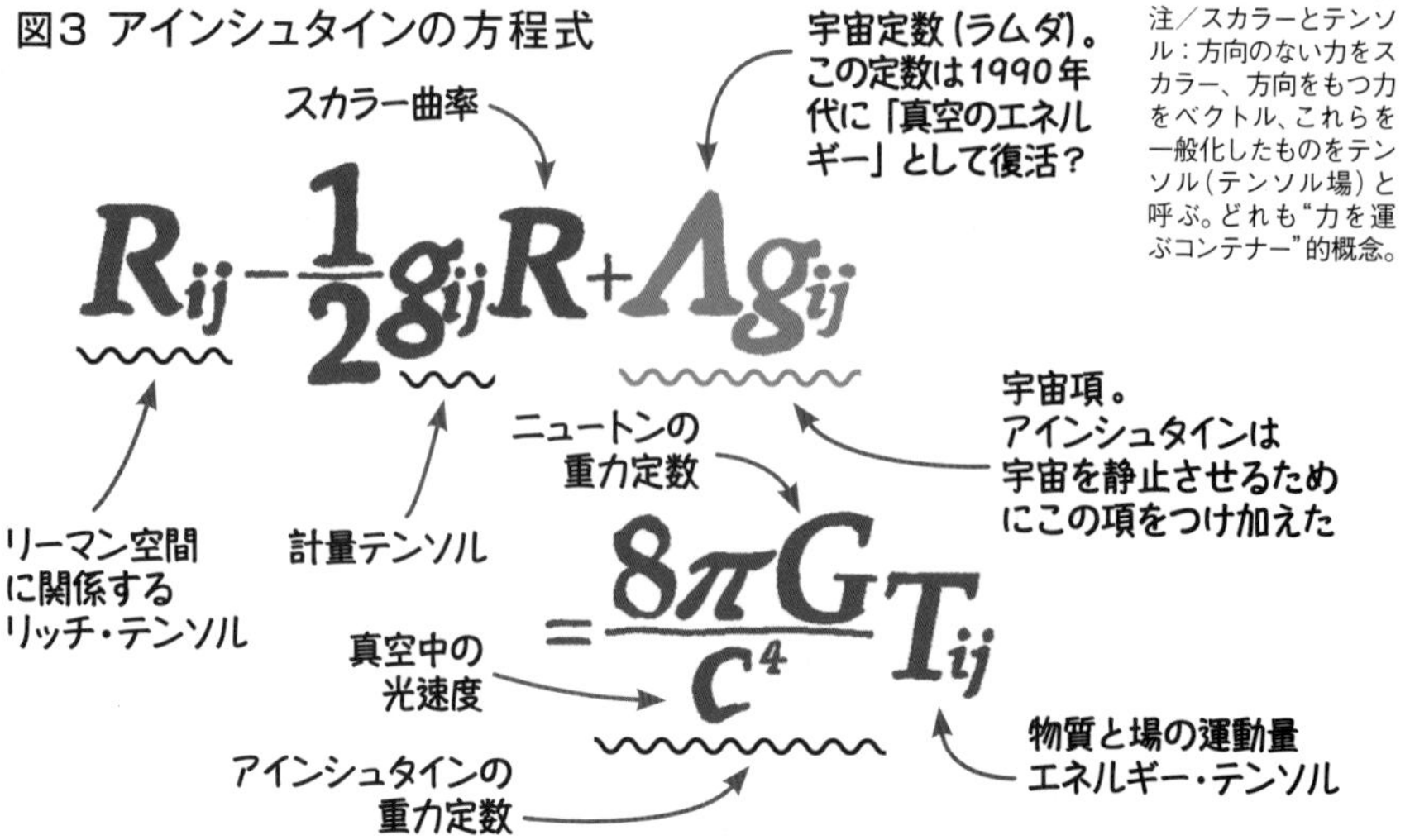

注／スカラーとテンソル：方向のない力をスカラー、方向をもつ力をベクトル、これらを一般化したものをテンソル（テンソル場）と呼ぶ。どれも"力を運ぶコンテナー"的概念。
スカラー曲率
宇宙定数（ラムダ）。この定数は1990年代に「真空のエネルギー」として復活？
$R_{ij} - \frac{1}{2} g_{ij} R + \Lambda g_{ij} = \frac{8\pi G}{c^4} T_{ij}$
リーマン空間に関係するリッチ・テンソル
計量テンソル
ニュートンの重力定数
宇宙項。アインシュタインは宇宙を静止させるためにこの項をつけ加えた
真空中の光速度
アインシュタインの重力定数
物質と場の運動量エネルギー・テンソル

作成／矢沢サイエンスオフィス

⬆アインシュタインは1916年に一般相対性理論にもとづく最初のアインシュタイン方程式（重力場方程式）を発表した。これは４次元時空と物質の質量およびエネルギーの関係を示していた。だが彼はただちに問題を発見し、翌1917年に改訂版（上図）を公表。ここには恣《し》意《い》的に宇宙項（Λ：ラムダ）、すなわち空間の反発力（万有斥力《せきりょく》、負《ふ》の圧力）が新たに加えられていたが、後に彼はこの追加を「人生でもっとも後悔した」と述べることになる。

ブラックホール、銀河など）は近くを通る光をレンズのように曲げる（**図4**）、

②**重力波**――やはり巨大質量をもつ天体がはげしく運動すると時空が伸び縮みする（**右コラム**）、などだ。

①の身近な事例として、**太陽のそばを通る光は太陽の重力によってその進路を曲げられる**という予言もあった。これはすでに前記したように「光は重力によってひずんだ時空（重力場）を通過するときにはその進路を曲げられる」

COLUMN

重力波、ついに発見？

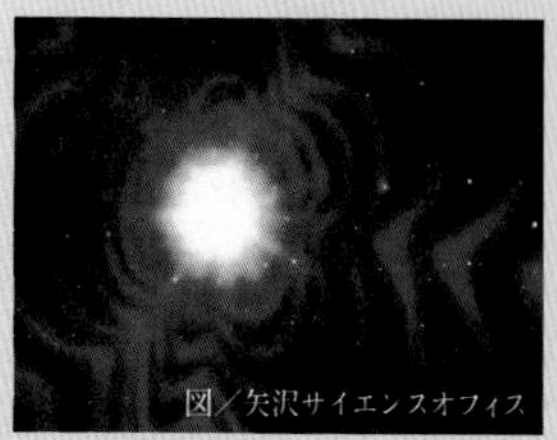

図／矢沢サイエンスオフィス

重力波は目に目えない、だがとほうもない速度、つまり光速（毎秒30万㎞）で宇宙空間を伝わる"波"である。**この波が通り抜けると、宇宙のどんなものも伸び縮みする。**

アインシュタインは、宇宙の２つの巨大な物体――たとえば太陽のような星２つ――がたがいのまわりを公転すると、周囲の**宇宙空間にさざなみが起こり、それは池の水面に石を投げたときの波のように広がっていく**と予言した。これが重力の波、つまり重力波である（**上想像図**）。

一般相対性理論発表から100年後の2015年９月、アメリカの重力波天文台（LIGO：ライゴ）がはじめて重力波によるきわめて微小な時空のさざなみをとらえたと発表した。２年後、この重力波検出に貢献した３人にノーベル物理学賞が贈られた。

図5 ⬆エディントン率いる観測隊は1919年の日食時に恒星（矢印）を撮影、一般相対性理論の検証に成功した。写真／F. W. Dyson et al., Phil. Trans. Roy. Soc. A (1920) 291

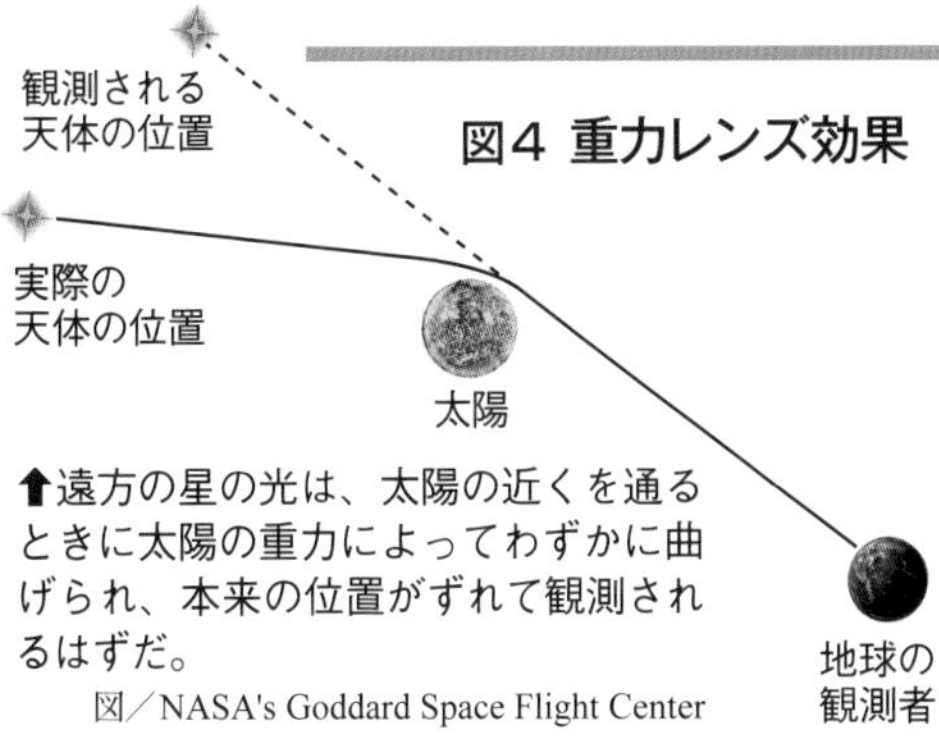
観測される
天体の位置
実際の
天体の位置
太陽
地球の
観測者

図4 重力レンズ効果

⬆遠方の星の光は、太陽の近くを通るときに太陽の重力によってわずかに曲げられ、本来の位置がずれて観測されるはずだ。

図／NASA's Goddard Space Flight Center

というものだ。冒頭でアーサー・エディントンの皆既《かいき》日食の観測に触れたのは、この予言の顛末《てんまつ》を記すためである。

太陽がたしかに星の光を曲げた！

当時すでに高名な数学者・物理学者でもあったエディントンは1915年に一般相対性理論の論文を読んで興奮し、そこで予言されている時空の構造を自ら検証しようと考えた。イギリス議会の承認を必要としたこの試みは、高名なエディントンであったがゆえに可能となった。

チャンスは1919年5月の皆既日食であった。彼は探検隊を編成して3月にイギリスを発ち、プリンシペ島で準備を進めた。だが冒頭のように、日食当日は島を嵐が襲った。皆既日食は2時からだったが、幸運にも正午には雨がやみ、1時半頃には太陽が顔をのぞかせた。皆既日食が始まると、雲のために観測状況はよくなかったものの、エディントンは写真乾板で太陽とその近くの星（恒星《こうせい》）を次々に撮影した（**図5**）。その中の1枚で彼は、ようやく星の光が一般相対性理論の予言どおりわずかに曲げられていることを確認したのだった。

こうして**一般相対性理論は検証され、ただちに世界中の新聞がこの出来事を大々的に報じた。**アインシュタインとエディントン、それにだれも聞いたことのない一般相対性理論（一般相対論）の名が一夜にして世界に知られた。

それから1世紀たったいま、一般相対性理論が予言した重力レンズやブラックホールなどさまざまな奇妙な天体現象の存在が、天文学者たちによって確認されている。■

ビッグバン宇宙論

宇宙は〝ミクロの点の大爆発〟から誕生した

宇宙はどうやって誕生したのか

われわれが生きているこの宇宙はいつどのように誕生し、現在まで進化してきたのか？　このもっとも根源的な疑問に答えようとする標準的理論が「**ビッグバン宇宙論**（**ビッグバン宇宙モデル**）」である。

かつて、宇宙は無限の過去から存在し、時間も悠久《ゆうきゅう》の昔から流れていたと考えられていた。しかしこの理論によれば、われわれの宇宙はあるとき突然**ミクロの〝火の玉〟**として生まれ、時間もこのときはじめて流れ出した。そしてしだいに大きくふくらんでいき、現在われわれが観測する宇宙の姿に進化したという（**図1**）。

20世紀前半、**時空**（**3次元の空間＋時間＝4次元時空、時空間**）**の理論**であるアインシュタインの**相対性理論**が登場すると、アインシュタインも含め多くの物理学者がこの理論でわれわれの宇宙を描こうと試みた。その中で当時のソ連の物理学者やベルギーの神父ジョルジュ・ルメートル（26ページ**図2**）が〝ミクロの点からふくらむ宇宙〟の着想を得た。

その後、1948年にロシア出身の**ジョージ・ガモフ**（**図3**）が、「**膨張**《ぼうちょう》**しながら物質を生み出す宇宙**」の理論を発表した。**これが現在「ビッグバン宇宙論」と呼ばれる理論**

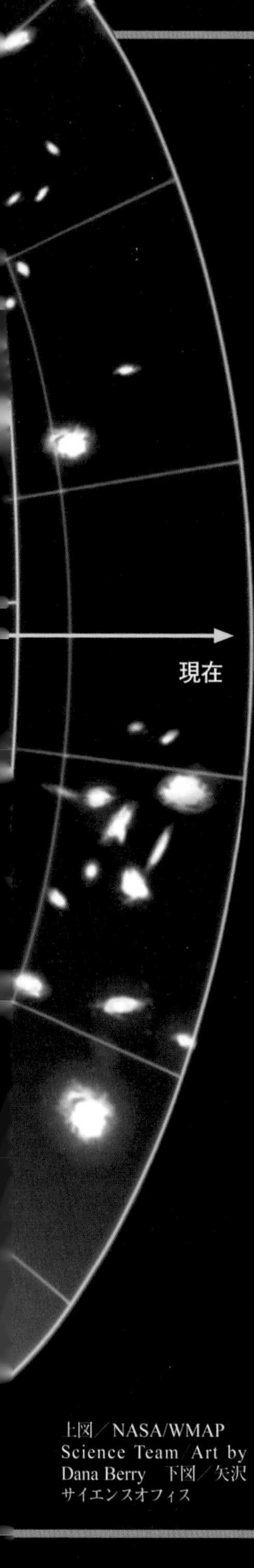

上図／NASA/WMAP Science Team／Art by Dana Berry　下図／矢沢サイエンスオフィス

図1　宇宙の誕生と進化の歴史

⬇宇宙の誕生から現在まで138億年の歴史を
1枚のイラストに描いたもの。

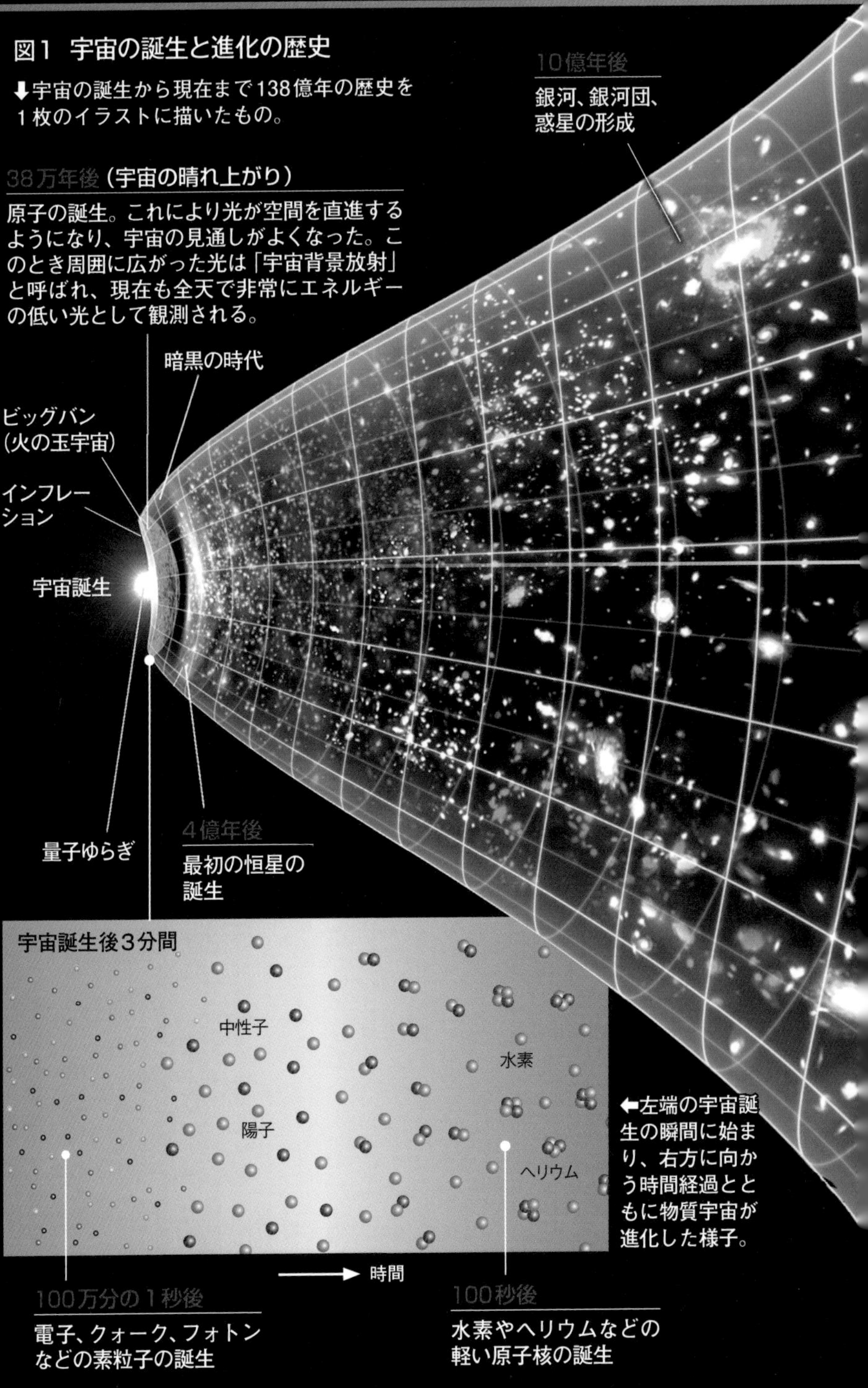
38万年後（宇宙の晴れ上がり）
原子の誕生。これにより光が空間を直進するようになり、宇宙の見通しがよくなった。このとき周囲に広がった光は「宇宙背景放射」と呼ばれ、現在も全天で非常にエネルギーの低い光として観測される。
10億年後
銀河、銀河団、惑星の形成
暗黒の時代
ビッグバン（火の玉宇宙）
インフレーション
宇宙誕生
量子ゆらぎ
4億年後
最初の恒星の誕生
宇宙誕生後3分間
中性子
陽子
水素
ヘリウム
時間
100万分の1秒後
電子、クォーク、フォトンなどの素粒子の誕生
100秒後
水素やヘリウムなどの軽い原子核の誕生

⬅左端の宇宙誕生の瞬間に始まり、右方に向かう時間経過とともに物質宇宙が進化した様子。

の骨格となった。そして、アメリカの天文学者**エドウィン・ハッブル**（**図4**）がはるか遠方の銀河の観測から導いた**「宇宙は膨張している」**という事実がこの理論を裏づけた。

宇宙の誕生や起源については別の理論（左ページ**コラム**参照）も存在したが、その後の観測結果などから1960年代にはビッグバン宇宙論が生き残り、現在でもさまざまな観測や研究によりその裏づけが精密に行われている。

宇宙はどのように進化したか

ビッグバン宇宙論は、この宇宙の誕生と進化をおおむね次のように説明している。

まず誕生直後の宇宙はさしわたし数ミリと非常に小さく、1億度を超える超高温・超高密度の状態、すなわち〝**火の玉宇宙**〟と呼ばれる状態だった。そしてこのミクロの宇宙に、現在の宇宙に存在するすべての物質（星々や銀河など）のもとになるエネルギーがつめ込まれていた。この超高温・超高密度の宇宙はわれわれの想像を超えており、いまの物理学で説明することはできない。

宇宙はこの後いっきに膨張しはじめた（**ビッグバン**）。そして膨張によって宇宙内部の温度が急速に下がっていくと、その内部で**最初の物質である電子やクォーク（陽子《ようし》などの材料）、フォトン（光子《こうし》）などの素粒子が生まれた**。はじめ、電子やクォークはたがいに衝突して光になり、逆に光から電子やクォークが生まれ、どちらがどちらか見分けられない状態であった。このときの宇宙は超高温のスープのような状態だったと考えられる。

宇宙がさらに膨張して温度が下がると（宇宙誕生か

図2⬆宇宙はミクロの点から始まったと主張したジョルジュ・ルメートル。

図3⬆宇宙が膨張しながら物質を生み出すしくみを提唱したジョージ・ガモフ。

図4⬆銀河が遠ざかる速さを観測して宇宙膨張を発見したエドウィン・ハッブル。

写真／上・中・AIP、下・Hale Observatories／Niels Bohr Library／矢沢サイエンスオフィス

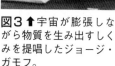

ら3分後）、今度は素粒子どうしが結合し、**水素**や**ヘリウム**などの軽い原子核が生まれた。

ビッグバンから30万年ほどたって温度がさらに下がると**原子核と電子が結合して原子が生まれ、宇宙ははじめて光が自由に飛びまわる透明な世界となった。これは〝宇宙の晴れ上がり〟と呼ばれる。**そして、それまでエネルギー的に優勢であった光より、物質の質量とエネルギーのほうが優勢な〝**物質優勢の時代**〟が到来した。

3億〜5億年後、宇宙全体を支配する力のひとつである**重力**によって物質が集まり、**初期の原始銀河**が生まれた。このとき銀河の内部では最初の（われわれから見ると最古の）星々が誕生しはじめた――こうして宇宙はしだいに現在のような姿へと進化していった。

最新の研究では、**ビッグバンから現在までに138億年**が経過しているとみられている。つまりわれわれは138億歳の宇宙で生きていることになる（次項も参照）。■

COLUMN

2つの宇宙論が併存したとき

ここで紹介した理論を「ビッグバン理論（ビッグバン宇宙論）」と命名したのはイギリスの物理学者**フレッド・ホイル**（**図5**）。ホイルはこの理論の登場を知ったときにはまったく相手にせず、BBCラジオでこの理論について聞かれると、「理論の提唱者たちはすべての物質が“ビッグバン（大爆発）”で生まれたなどと主張している」と冷やかした。ところが後に、彼の冷やかしが理論の正式名称として科学界に定着することになったのだ。

ちなみにホイルはその後長い間、他の2人の物理学者とともに、**宇宙はビッグバンによって突然生まれたのではなく無限の過去から存在し、一定の物質密度が保たれてきたとする「定常宇宙論」**（**図6**）を主張し、多くの科学者もこれを支持したので、以後2つの理論が併存する時代が生じた。だが1960年代に**ビッグバンの証拠とされる「宇宙背景放射」**（25ページ図1参照）が発見されると、彼らの定常宇宙論は他の宇宙論学者たちから見放されたのである。

図5

写真／AIP/矢沢サイエンスオフィス

図6

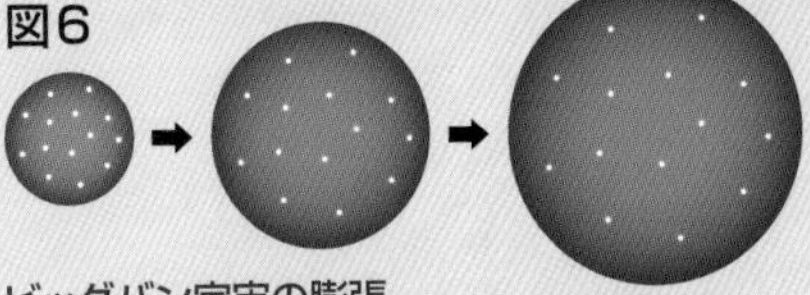

ビッグバン宇宙の膨張
銀河どうしは離れ、空間の物質密度は低下

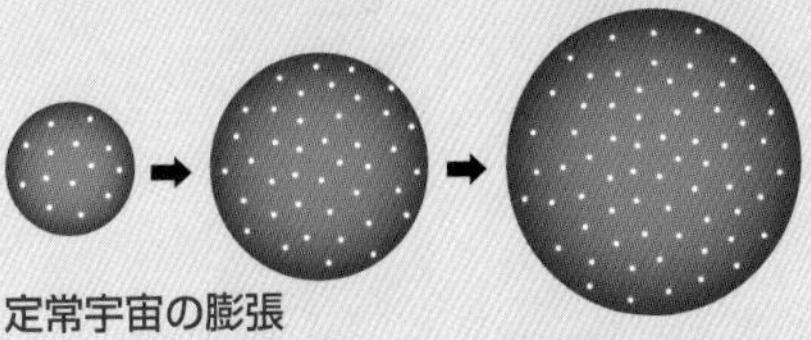

定常宇宙の膨張
新たな物質が補充され、空間の物質密度は一定

インフレーション宇宙論

窮地のビッグバンを救った〝白馬の騎士〟

ビッグバン宇宙論が直面した困難

宇宙の誕生と進化についてのビッグバン宇宙論（前項）には、はじめからさまざまな疑問や矛盾がついてまわり、科学理論として不完全とみられていた。ときには理論として落第の烙印《らくいん》を押されかかったこともあった。それは「**ビッグバン宇宙論の困難**」と呼ばれるいくつもの疑問や矛盾をぬぐえなかったためだ。とりわけ大きな問題は次のようなものだった。

第1の困難――ビッグバン宇宙論はそもそもビッグバン以後の宇宙進化の理論である。宇宙は〝火の玉（ビッグバン）〟から始まったというが、では**火の玉がどうやって生まれたか、その前に何があったかを語ることができない。**

図1⬆ビッグバン宇宙論の理論的困難のひとつ「宇宙の平坦性」の問題は、ビッグバンの前にインフレーション理論を結合することで解決する。インフレーションが宇宙をいっきに膨張させて宇宙が“平ら”になるためだ。 図／矢沢サイエンスオフィス

第2の困難（地平線問題）――宇宙では情報や物質の移動速度が光速を超えることはない。宇宙は広大なのでその端から端まで情報や物質が伝わったことはいちどとしてな

いはずだが（＝**宇宙の地平線は遠すぎる**）、地球に到達する宇宙からの光はどこを見ても厳密に一致する。これはまったくありそうもないことである。

第3の困難（平坦性の困難。図1）――いまの宇宙空間はユークリッド幾何学（90ページ参照）で見るように真っ平ら（平坦）で凹凸《おうとつ》がない。このような宇宙では**全物質の密度がある値にぴたりと一致していなくてはならず**、そんな宇宙がまぐれで生まれるなどありそうもない。

理論的困難は他にもいろいろある。

急速な膨張で〝火の玉〟が生まれた？

そこで1981年、東京大学の**佐藤勝彦**やアメリカの**アラン・グース**らが、ビッグバン理論のこうした困難をいっきに克服する新理論を発表した。その名は「**インフレーション宇宙論**」。

それによれば、**宇宙は時間も空間も物質もないまったくの〝無〟から誕生した**。最初期の宇宙はわずかな「**真空のエネルギー**」に満たされていた。この謎のエネルギーはたがいに押しあう力（**斥力《せきりょく》、反発力**）であり、この力により宇宙の時空は一瞬（1000兆分の1秒よりはるかに短い時間）で、光速より速く引き伸ばされた。宇宙がいっきに**膨張《ぼうちょう》（インフレーション）**したのだ。

だが真空のエネルギーは宇宙が膨張しても薄《うす》められることはなく、膨張とともに逆に増大していった。そしてインフレーションが終わる頃に真空の性質が変化し、巨大にふくれ上がった**真空エネルギーは熱エネルギーへと生まれ変わった。その結果、超高温の〝火の玉〟が生み出された。**

こうして誕生直後の宇宙が急速に（指数関数的に）膨張すると、瞬時に引き伸ばされた時空はほとんど曲がっておらず、どこも一様《いちよう》で平坦な宇宙となった――これがインフレーション宇宙論の骨子だ。

そこでこのインフレーション理論をビッグバン理論の前に結合させると、さきほどのビッグバン理論が抱える困難はほぼどれも解消されることがわかった（ちなみにこの理論もその後たびたび修正されている）。

科学理論としての根拠が崩れかけたビッグバン宇宙論だったが、そこに〝白馬の騎士〟のごとくインフレーション理論が駆けつけてビッグバン理論を助けた。いまビッグバン理論といえば、インフレーション理論をその一部に取り込んだものになっている（25ページ図1参照）。■

ダークマターとダークエネルギー

決して目に見えない謎の宇宙物質

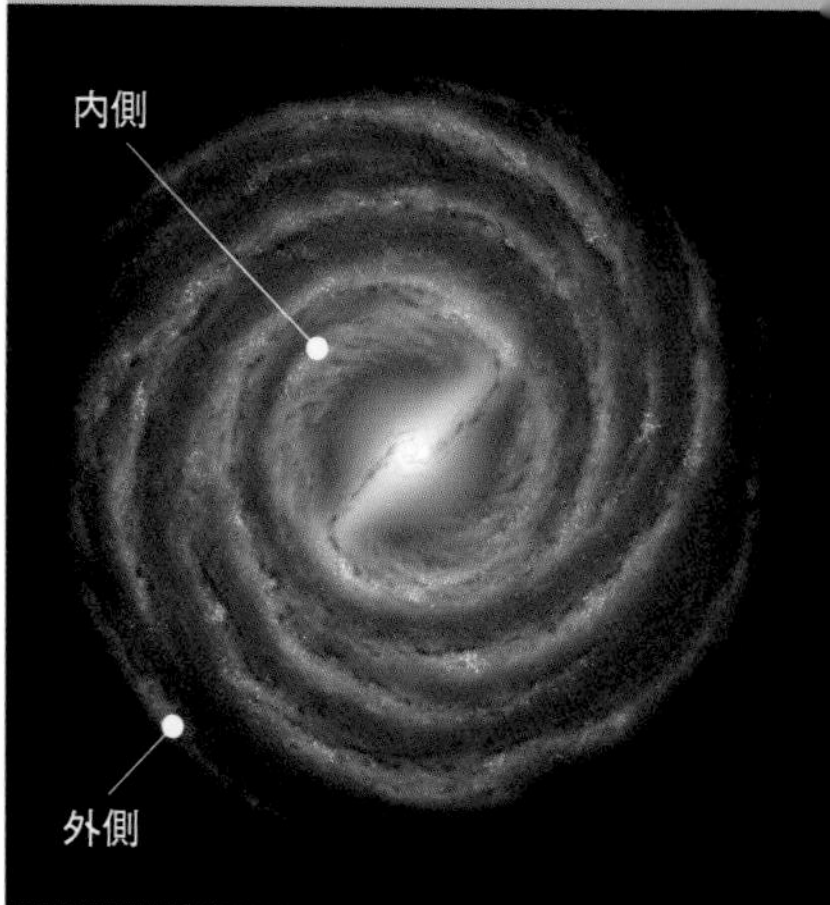

図1 ⬆銀河系の中心付近と外側の星々の回転速度（公転速度）があまり変わらないのはダークマターが存在するためか。
画像／NASA/JPL-Caltech/R.Hurt (SSC)

銀河系の回転速度がおかしい

宇宙には、われわれが生きている銀河（銀河系、天の川銀河）をはじめ、何千億もの銀河が存在する。ところがこれらの銀河には、ある大きなミステリーがついてまわる。それは、**銀河の回転速度が、その銀河に含まれる全物質の質量から計算される速度と一致しないという問題**である。

われわれの銀河系を例にとってみよう。もし銀河系の中に数千億個の星々やそれらの間に漂う星間ガスなどの〝**観測可能なふつうの物質**〟**しか存在しないとしたら**、**銀河系の回転速度は銀河中心の近くではより速く、中心から遠ざかるにつれてより遅くなるはず**である（ちなみに銀河系の中心から2万8000光年の距離にある**われわれの太陽系は、銀河系1周に2億4000万年**かかる）。

ところが、銀河系はどの場所でもそれほど大きな速度の違いなしに中心のまわりをまわっている（**図1**）。**固まりかけたスカスカの円盤のように**である。そして円盤の外側は、女性の長いドレスのすそが引きずられるように、つねに**後ろへ後ろへと引きずられて遅れ気味**になっている。

問題はここにある。もし銀河系に光を発するふつうの物質しか存在しないなら、銀河系の外側は観測されるよりもっと大きく遅れているはずだ――理論的に見て。なぜそうなってはいないのか？

このミステリーを解くため20世紀前半に考え出された仮

説が、**「ダークマターが存在する」というもの**だ。ダークマターは日本ではそのまま**「暗黒物質」**とも呼ばれている。

宇宙の物質の27％はダークマター？

この仮説によると、銀河系内には天体望遠鏡では観測できない正体不明の物質であるダークマターが膨大《ぼうだい》に存在する。その量は観測可能なふつうの物質の5倍とされ、**宇宙の全エネルギー（物質も含む）中の比率は27％と見積もられている**という（図2）。その重力も加わって銀河系全体を中心側に引き寄せているため、銀河系はいまのような安定した形を保っているというのだ。

ではそのダークマターの正体は何か？　いまのところそれは明らかではないが、いくつかの候補は議論されている。

ダークマターが望遠鏡で見えないということは、**その物質は光や電波をほとんど、またはまったく出していないということ**である。

そのような物質として考えられるのは、非常に**冷たいガスや無数の褐色矮星《かっしょくわいせい》（質量が太陽の1％程度の小さな星）、無数の小さなブラックホールなど**だ。どれもふつうの物質でできているが小さすぎて地球からは観測できない。だがこれらを合計しても計算されるダークマターの量にはまったく足りない。

別の候補が、**まだ発見されていない微小な**

図2 宇宙をつくる物質（質量）の割合

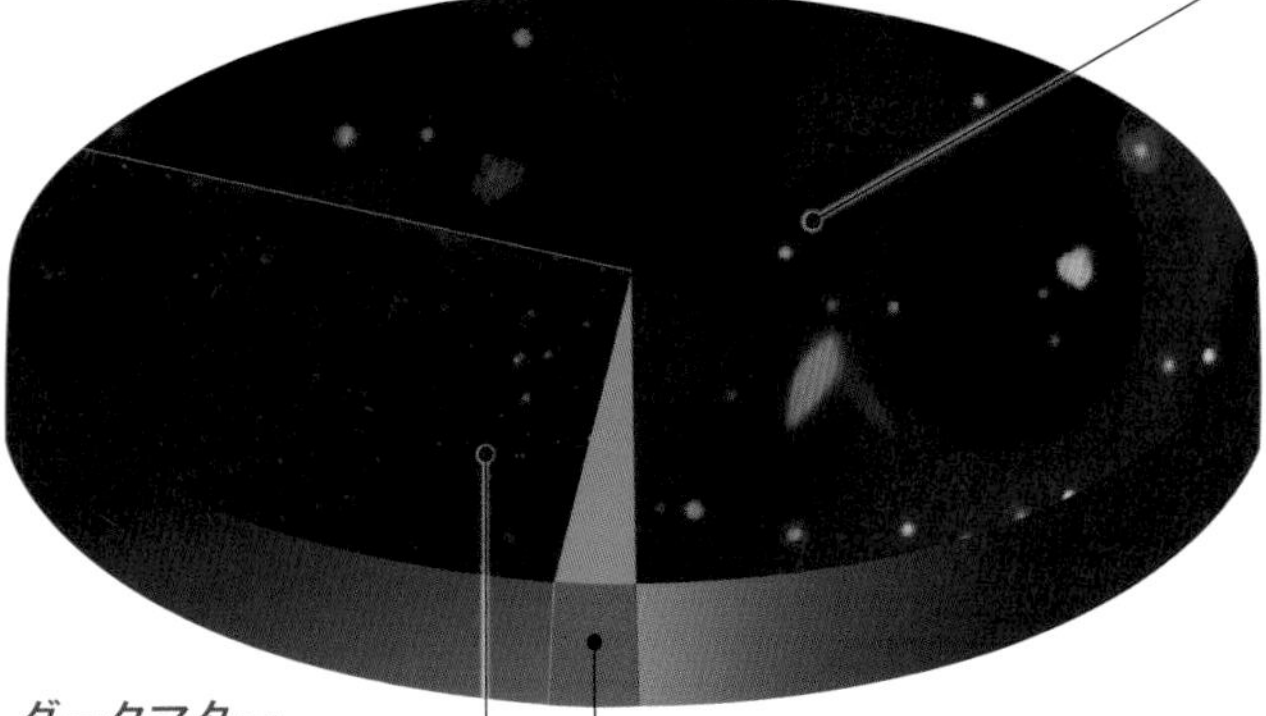
ダークエネルギー（暗黒エネルギー、68％）
ダークエネルギーは“空間の性質”として現れ、宇宙が膨張しても減少することはなく逆に増大する。この性質のゆえに宇宙膨張は加速されつづける。これを真空のエネルギーとする見方もあるが、真実は不明である。
ダークマター（暗黒物質、27％）
光（電磁波）を発することも吸収することもない文字通り暗黒の物質で、重力のみを生み出すとされている。
観測可能な物質（5％）
人間が天体望遠鏡で観測している銀河や恒星などの“ふつうの”天体。観測可能な物質（質量）の大半は銀河空間を漂う星間ガス。

↑ダークマター（暗黒物質）の量は観測できるふつうの物質の5倍に達するとされている。　資料／NASA

粒子（素粒子★1）である。そのひとつが超対称性粒子で、素粒子物理の研究者でもなければ聞いたことはなさそうだが、ふつうの素粒子と少しだけ性質の異なる素粒子（＝スピンが2分の1ずれている）である。もっともこの素粒子は、理論で予言されているだけで存在が確認されたことはない。

ダークエネルギーという〝宇宙論の爆弾〟

前項のダークマターより**さらに不可解な存在が「ダークエネルギー」**だ。

1990年代前半まで、**天文学者や宇宙論学者は、ビッグバン以後の宇宙の膨張速度はしだいに遅くなっていると信じていた。**アインシュタインの重力理論などからそれは間違いない、と。だがどれほど宇宙を観測しても、宇宙の膨張が遅くなっているらしい証拠は見つからなかった。

そして1998年、あまりにも予想外の出来事が起こった。NASAのハッブル宇宙望遠鏡ではるか遠方の数十個の**超新星**《ちょうしんせい》を観測していたハーバード大学の〝いかれた教授〟と愛称される**ロバート・カーシュナー**（図3）が、**宇宙の膨張速度は遅くなっているのではなく逆に「加速している」、つまり宇宙は時間とともにより速く膨張していることを発見したのだ**（図4）。科学者たちが**宇宙の見方の大転換を迫られる事件**であった。

宇宙膨張を加速させるには、物質を引き寄

図3 ⬅カーシュナーらの宇宙定数の研究は1998年、科学雑誌「サイエンス」により“ブレークスルー・オブ・ザ・イヤー”に選ばれた。写真は本人へのインタビュー時に撮影。写真／Peter Catalano／矢沢サイエンスオフィス

図4 超新星と地球からの距離の関係

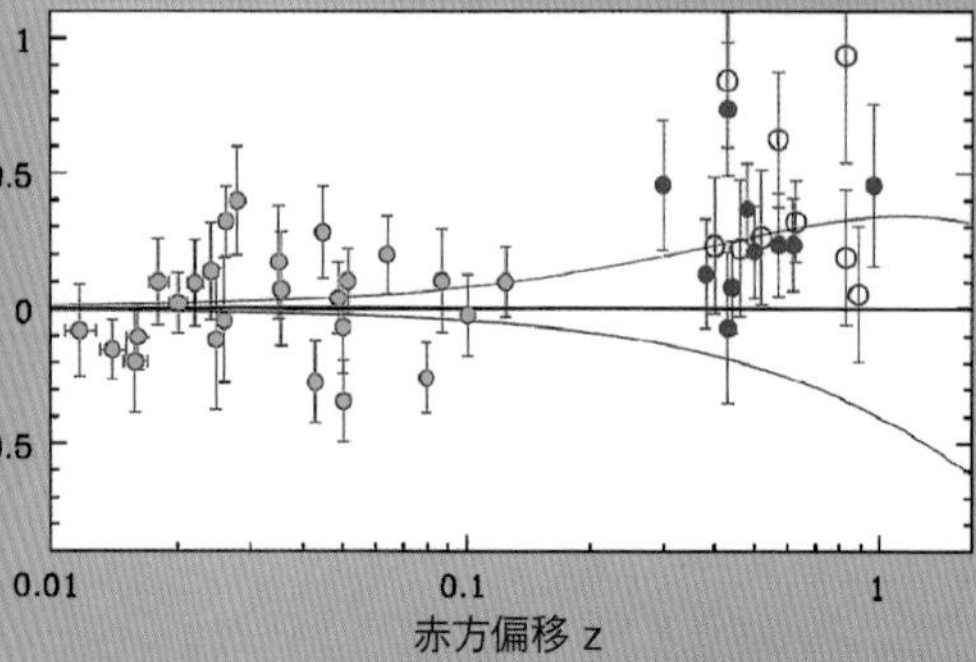

⬆はるか遠くの超新星が地球から遠ざかる速度とそれらの地球からの距離の関係を示すグラフ（緑の丸印に対応した水平線が従来の宇宙膨張を示す）。カーシュナーらは観測によって実際には遠方の超新星ほど遠ざかる速度が速いこと（赤印および赤線）を発見した。これは宇宙膨張が加速しており、さらに宇宙が膨大な真空のエネルギーで満たされているという最新の理解へとつながった。

図／Robert P. Kirshner, Proc. Natl. Acad. Sci., vol.96 (1999) 4224

用語解説

★1 素粒子
すべての物質をつくっているもっとも基本的な粒子のこと。クォーク、レプトン、ゲージ粒子（力の媒介粒子）の3種類があり、これらが結合したり相互に作用したりして分子や原子（さらにこれらをつくる原子核や電子など）の構成要素となっている。こうした基本粒子の研究を素粒子物理学と呼ぶ。

せて膨張を遅らせる力（＝重力）**をはるかに上回る別のとほうもない力が存在しなくてはならない。**科学者たちはあわてふためいてその理由を考え、議論したが、従来の物理学ではまったく説明がつかなかった。

結局その力のもとは謎のエネルギー、すなわち「**ダークエネルギー（暗黒エネルギー）**」ということになった。正体も理解も不明の何かだと認めざるを得なかったのだ。

よみがえったアインシュタインの失敗作

かつてアインシュタインは、宇宙空間にはもともとたがいを遠ざけようとする力、すなわち万有引力の逆の「**万有斥力《せきりょく》（反発力）」が存在すると仮定し、それを「宇宙定数」**（22ページ図3）**と呼んだ。**だが彼は後に、これは〝生涯最大の失敗〟だったと述べて自ら取り消した過去があった。

宇宙膨張の加速に直面した科学者たちはその後、アインシュタインの最大の失敗を彼の遺品箱から取り出し、宇宙定数は実在すると考えるようになった。そして**その正体は真空のエネルギーだとする仮説を立てた。**空っぽに見える宇宙空間は実際には莫大な真空エネルギーに満たされているというのだ。

ここでいう真空エネルギーとは、ビッグバン宇宙誕生の際に宇宙を爆発的に膨張（インフレーション）させたエネルギーである。**真空のエネルギーはたがいに押しあう力、すなわち反発力としてはたらく。**宇宙がこの反発力によってふくらんでもその密度は変わらないため、膨張につれてエネルギー量は増大する。その真空エネルギーが（宇宙誕生時ほど急速ではないものの）現在も宇宙を膨張させ、さらには重力を上回って膨張を加速させているというのだ。

すべてがふりだしに戻る？

ところで、これらの謎の物質と謎のエネルギーの存在がほとんど常識化していた2020年1月、だれも予想だにしなかった2つの爆弾的な研究報告が発表された。ひとつは「ダークマターは存在しないかもしれない」と言い、いまひとつは「ダークエネルギーは存在しない可能性がある」と言ったのだ。

もしこれらが事実なら、宇宙の姿についてのわれわれの見方はまたもひっくり返ることになる。多くの宇宙論学者や天文学者はこうした〝仲間うちの裏切り〟に反発しているが、真相はさしあたり疑問符のままである。■

アインシュタインの「光量子説」

……光は波か、それとも粒子か？

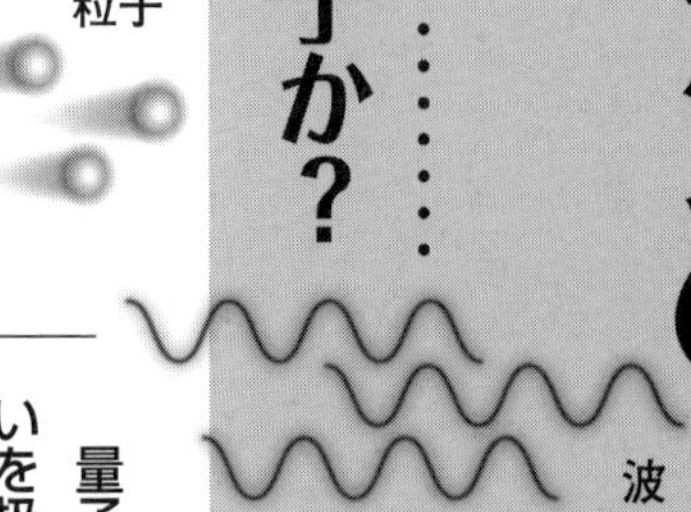

図1 ⬆粒子のようにも波のようにもふるまう光の実体とは？

光はエネルギーのかたまり

「神はサイコロ遊びなどしない」――これは、**アインシュタインが「量子力学」**（37ページ参照）**を批判して発した言葉**としてよく知られている。彼が量子力学の建設者のひとり**ニールス・ボーア**★1と議論したとき、こう言って呆れてみせたという。このときだけではなく、友人への手紙にも同様の言葉を書いている。

古典的な力学では、原因と結果はつねに直線的に結びついている。真空中を時速150㎞でまっすぐに飛ぶボールは、2・4秒後に100m先の的《まと》に当たる。このように最初の状態（初期条件）が決まっていれば、ボールは気まぐれに的をそれたりはしない。人間によって物理的に観測されるものはたしかに〝そこに存在（実在）する〟のであり、〝存在するかもしれない〟ということはないはずだ。

だが量子力学では、この当然の出来事が怪しくなる。そこではわれわれの考えるような**実在はなく、あるのは〝存在する確率〟**だけだというのだ（37ページも参照）。

量子力学は人間の目には見えないミクロの粒子のふるまいを扱う理論である。電子や陽子などの微小な粒子が発見されてまもない1920年代、**ヴェルナー・ハイゼンベルク**★2など多くの物理学者の手によってこの理論は建設された。だがじつは、**〝実在〟の意味を最初にゆるがしたのは彼らではなく、量子力学を批判したアインシュタインだった。**皮肉にも、彼は量子力学の基礎となった「**光量子《こうりょうし》説**」を最初に提出

用語解説

★1 ニールス・ボーア（1885～1962年）
デンマークの物理学者。1913年に原子モデルを提唱し、22年ノーベル物理学賞受賞。21年に設立した理論物理学研究所（現ニールス・ボーア研究所）は量子論研究の中心地となり、多くの後進が育った。

★2 ヴェルナー・ハイゼンベルク（1901～76年）
ドイツの物理学者。1925年に電子の量子的ふるまいを示す行列力学を提出、量子力学の基礎をつくる。32年ノーベル物理学賞受賞。

した当の本人であったのだ。

20世紀初頭、光は水面を伝わる波紋と同様の〝波〟の一種とみなされていた。というのも、たとえば光源から発した光を2本の狭いすきま（スリット）に通すと、2筋の光は干渉《かんしょう》しあって波のパターンを描き出すためだ――

図2 電子の干渉

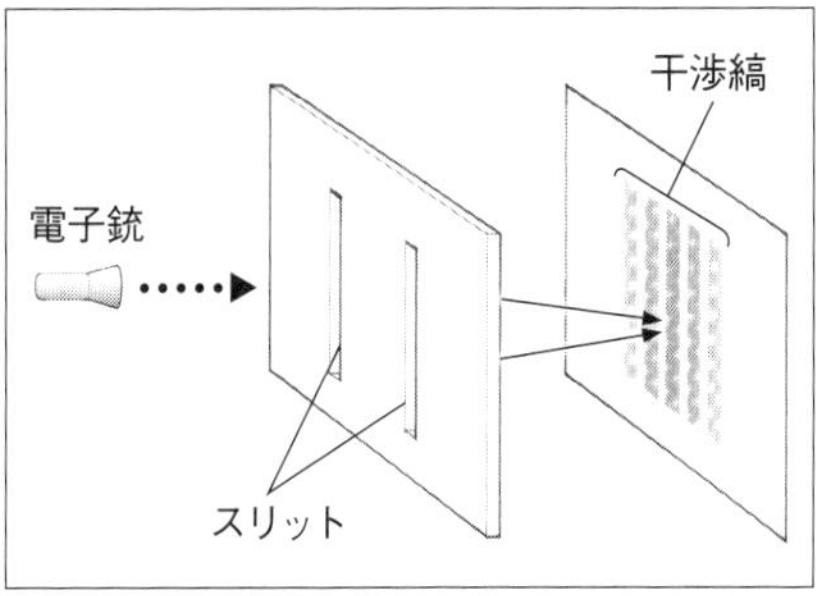

⬅⬆電子線を2つのスリットに通すと電子が自身と干渉しあい（左）、スクリーンに干渉縞が現れる。上図は上から見たときのシミュレーション画像。写真／GONDRAN Alexandre 図／矢沢サイエンスオフィス

だがこの説明にだれもが納得したわけではない。というのも、同じ波でも、音は空気の振動として伝わり水面の波は水の上下動として伝播《でんぱ》するが、**光には波を伝えるもの（媒体《ばいたい》）がない**からだ（ちなみに相対性理論は、光を伝える媒体として仮想された〝エーテル〟の存在を否定した）。

アインシュタインもまた、光を波とすると説明がむずかしい現象に着目した。それは「**光電効果**」と呼ばれるものだ。光を金属に当てるとその表面から電子がとび出す。だがつねにではない。たとえば紫色の光なら電子がとび出すが、赤色光ならどんなに明るくてもとび出さないのだ。

アインシュタインは、この**光電効果は光を〝エネルギーのかたまり〟とみなせば説明できる**ことに気づいた。赤色光はエネルギーが低いため、どれほど明るくしても電子はとび出さない。他方、紫色の光はエネルギーが高いので容易に電子がとび出す。

だがもしそうなら、電子を跳《は》ねとばす光は波のように広がりのあるものではなく、**1点に集中した粒**

状と考えなくてはならない。アインシュタインはこの粒状の光を「**光量子**」（いまでいう**光子**、フォトン）と呼んだ。1個の光量子のエネルギーが十分に高くなってはじめて1個の電子を跳ねとばすことができるのだ。

自分自身と干渉しあう電子？

フランスの貴族出身の物理学者**ルイ・ド・ブロイ**は、アインシュタインの光量子説を知って強い刺激を受けた。彼は、光が粒子でもあるなら、逆に電子のような**粒子も波としての性質をもつ**のではないかと考えた。実際、電子を波とみなすと、それまで説明できなかった現象、たとえば原子内の電子がとびとびのエネルギーしか吸収しないことなども理解できる。

これは当時、電子の性質というよりむしろ理論を築くための仮想的な見方と受け取られた。だがまもなく電子が実際に波であることが実験で確かめられた。電子のビームを2本のスリットを通して後ろのスクリーンに当てると、そこには光と同じような干渉縞《かんしょうじま》が現れたのだ（35ページ**図2**）。**電子が波としてもふるまった**のである。スリットを片側ずつ交互に開けて電子を打ち出すとスクリーンには2本のスリットの影しか映らず、干渉縞はできない。

しかも奇妙なことに、電子を1個ずつ打ち出しても干渉縞が生まれた。これは〝波〟としてふるまっているのは電子の〝集団〟ではないことを物語る。干渉縞は、広がりのある波が2本のスリットを同時に通過したときにのみ生じる。ということは、**1個の粒子が2本のスリットを同時にすり抜けている**ことになる。にもかかわらずスクリーンに当たった電子の跡は1点しかできない。他方、粒子の動きを追跡できる装置（霧箱《きりばこ》）を使って観測すると、電子は弾丸のような軌跡を描く。だが、このように**電子の動きをずっと追いかけると干渉縞はできない**のだ。

これは後に、「**電子は観測した瞬間にその状態が決定する**」という奇妙な解釈──「**観測者効果**」と呼ばれる──を生み出した。そしてこれを批判するアインシュタインと量子力学の建設者たちの間で歴史的な論争が起こった。

光が電子と同様に、粒子と波の性質をあわせもつなら、光もまた自分自身と干渉しあうことになる。アインシュタインが光量子という概念を提出したときすでに、彼の嫌った粒子の〝**確率的なゆらぎ**〟が物理学の視界に入っていたのである。■

量子力学の「確率解釈」

ミクロの粒子が現実世界に影響する？

無数の可能性の重ねあわせ

20世紀はじめ、われわれの世界をつくっているのは、眼に見えない小さな粒子であることが明らかになった。これらのミクロの粒子は「**量子**」と呼ばれたが、その存在のしかたはわれわれの常識とはかけ離れていた。量子はたとえば**粒子として存在しながら同時に波としても存在する**という。これは当初、物理学者にも疑問視された見方で、まして一般人にはそんなものの存在は想像もできなかった。

そこで物理学者たちは、こうした量子のふるまいを方程式で表して量子の理論を打ち立てようとした。そしてついにそれに成功したのが、ドイツの**ヴェルナー・ハイゼンベルク**（38ページ**図2中央**）とオーストリアの**エルヴィン・シュレーディンガー**（**図2右**）であった。

1925年、当時24歳のハイゼンベルクは「**行列力学**」という手法で量子を描いた。その翌年にはシュレーディンガーが、量子の波の性質に注目して「**波動方程式（シュレーディンガー方程式）**」を導いた。

量子の波動方程式は、水面の波や音の波動についての古典的な波の方程式によく似ていた。だがこの方程式が量子のどんな状態を表しているのかはだれもわからなかった。というのも、そこに**虚数**《きょすう》（2乗するとマイナスになる数）[★1]という不可解《ふかかい》なものが含まれていたためだ。

これについてひとつの見方を示したのはドイツの**マックス・ボルン**[★2]である。彼は、**波動方程式に現れる関数（波動関数）の2乗は「ある時間の粒子がある位置に存在する確率」**と考えた。[★3]「**確率解釈**」の誕生である。

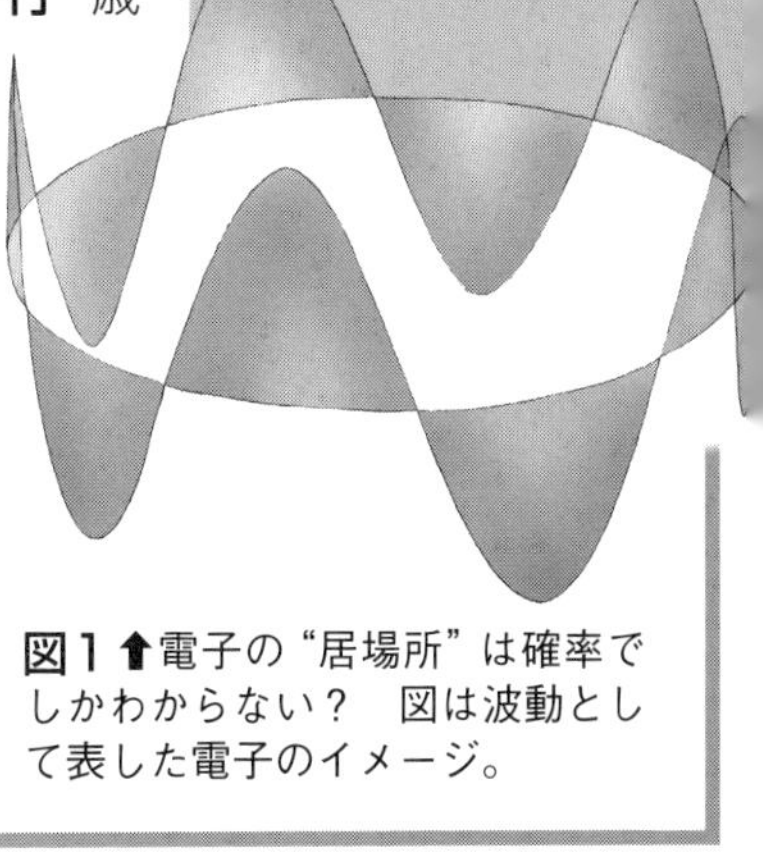

図1⬆電子の"居場所"は確率でしかわからない？　図は波動として表した電子のイメージ。

図2 ⬆1933年、ノーベル賞授与式のため、ストックホルムを訪れた3人の物理学者。左から量子電磁力学の先駆者ポール・ディラック、ハイゼンベルク（受賞は前年）、シュレーディンガー。
写真／Max-Planck Institute／AIP

粒子の位置を確率でしか示せない——それはシュレーディンガー自身にとっても、**アインシュタイン**など当時の多くの物理学者にとっても、とうてい受け入れがたかった。

しかしデンマークの**ニールス・ボーア**らは量子は確率的な存在とする見方を受け入れてこう説明した——**粒子は波のように広がって存在しており、人間が観測した瞬間にはじめてその位置や運動量がほぼ定まる。**[★4] つまり観測と同時に、波動関数が示す広がりをもった波はひとつに収束する。どこに収束するかは波動関数が示す確率しだいである。逆にいうと、観測前の粒子は波動関数が示す**無数の可能性の〝重ね合わせ状態〟**として存在することになる。これはコペンハーゲンにあるボーア研究所の科学者たちが中心になってまとめた見方なので、後に「**コペンハーゲン解釈**」とも呼ばれることになる。

ネコと放射性物質と毒ガス

だがシュレーディンガーやアインシュタインはこの**コペンハーゲン解釈**、つまり確率解釈や重ね合わせという見方に納得せず、ボーアやハイゼンベルクらの〝**コペンハーゲン学派**〟と大論争になった。とりわけシュレーディンガーは、**ミクロの粒子のふるまいがわれわれの現実世界にも影響する**という彼らの主張に真っ向から反対した。彼はそこである思考実験を提案した（**図3**）。

箱の中に1匹のネコを閉じ込める。箱の内部には毒ガス入りのビンと放射性元素、それに放射線検出器も入れてお

図3 シュレーディンガーのネコ

↑箱をあける前にネコの生と死は重なり合っているのか？　この図は、放射線放出という確率的現象によってビンの中の致死的な毒薬が箱の内部に流れることを示している。

図／十里木トラリ

く。放射性元素が放射線を発すると検出器がそれをとらえ、ただちに装置に信号を送る。すると装置は毒ガスのビンを割ってネコは死んでしまう。だが箱を開けるまで放射線が放出されるかどうかは確率でしかわからないので、ネコが生きているか死んでいるかも知ることはできない。では**ネコの生死は箱を開けた瞬間に決まるのか？**

こんな実験にネコであれ他の動物であれ登場させることは許されないが、ともあれこの思考実験でシュレーディンガーは、現実世界のネコは生きているか死んでいるかのどちらかであり、生と死が共存するなどありえないと言いたかったのだ。そしてミクロの量子がマクロの現実世界を支配することはないと主張した。

だがコペンハーゲン学派はこの思考実験に対し、「箱を開けるまで**ネコは生きている状態と死んでいる状態の重ね合わせにある**」と答えた。

量子のふるまいがマクロの世界に影響を与える現象はごく限定的だが見つかってはいる。だが、この見方が本質的に正しいかどうかの議論は21世紀のいまも決着していない。

シュレーディンガーは後年、こう言い残した。「私は量子力学を好まず、かつてそれに多少とも関わったことを悔いている」と。■

用語解説

★1
電磁気学では計算式にしばしば虚数が利用されるが、これは計算が簡単になるため。虚数を使用せずに式を書き換えることもできる（量子の波動方程式ではできない）。

★2 マックス・ボルン（1882〜1970年）
ドイツの物理学者。1933年ナチスにより教授職を解かれ、渡英。戦後ドイツに戻り、1954年ノーベル物理学賞受賞。有名な歌手オリヴィア・ニュートン-ジョンは彼の孫。

★3
正確には波動関数の絶対値の2乗。確率解釈はアインシュタインの光に関する見方（光の波の振幅の2乗は光子の存在確率を示す）をあてはめたもの。

★4
電子などの量子は、位置と運動量を同時に正確に観測することが原理的にできない（不確定性原理）。これはハイゼンベルクが思考実験によって明らかにした。ほかにも、量子がある位置にいる時刻とそのエネルギーを同時に測定することもできない。

量子テレポーテーション

パリの粒子と東京の粒子

遠隔作用で装置を壊した物理学者?

大天才のうえにとほうもない完璧主義者としても知られた理論物理学者**ヴォルフガング・パウリ**（**図1**）は、たいへん不器用であった。彼が頻繁《ひんぱん》に実験装置を壊《こわ》すため、同僚たちは「パウリが実験室に入ると機械が壊れる。きっとパウリ効果のためだろう」などと言ってからかった。

壊れたのは実験装置だけではない。彼の新婚旅行中には車が原因不明の故障で動かなくなり、アメリカの大学を訪ねたときには巨大な粒子加速器（44ページ参照）が故障した。こうした出来事が続くので、機器に異常が生じると物理学者たちは真っ先にパウリの所在を確認しようとした。

もっともこれはジョークのたぐいで、**現実世界のどんな〝力（フォース）〟も伝える媒体《ばいたい》なしに瞬時《しゅんじ》に遠くまで伝わるわけがない**と物理学者たちは考えていた。だがまもなく彼らはこの〝遠隔作用〟が実在することを知ることになった。

アインシュタインの挑戦は失敗した

量子力学の見方では、ミクロの粒子は波のような広がりをもつ**複数の状態の〝重ね合わせ〟**だとされる（37ページ参照）。ところが**人間や測定器がそれを観測すると、その瞬間に重ね合わせは解けてひとつの状態に収束する**という。**「観測者効果」**と呼ばれる現象だ。

図1 ⬆電子の回転にも似た逆立ちゴマを観察するパウリ（左）とニールス・ボーア。 写真／Erik Gustafson

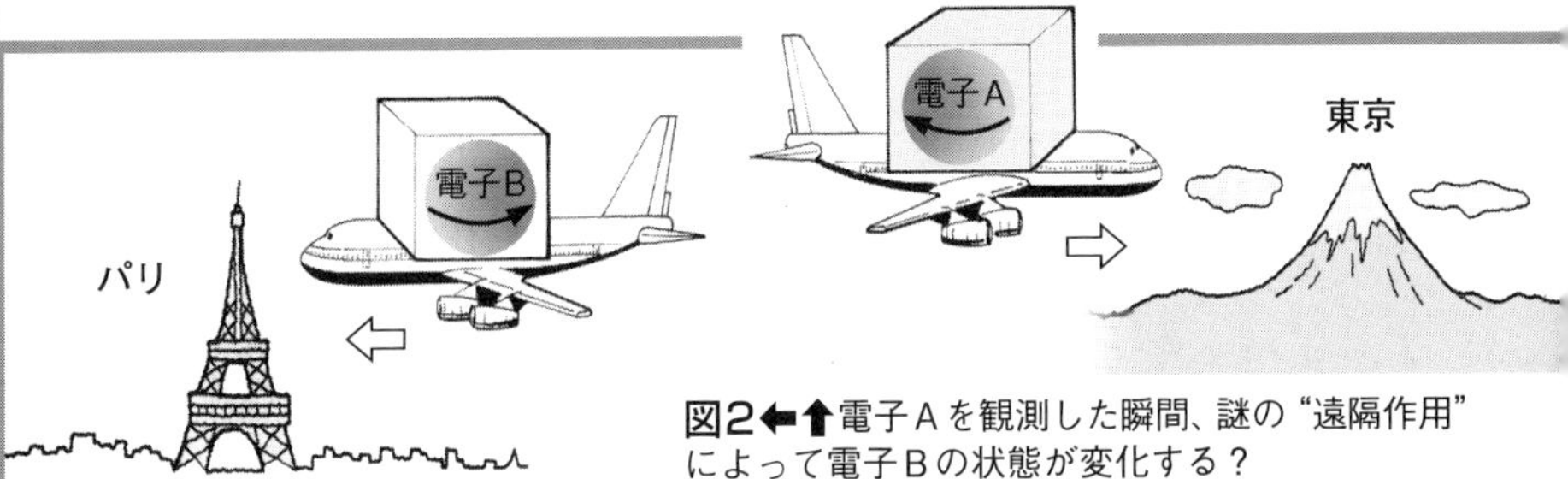

図2⬅⬆電子Ａを観測した瞬間、謎の“遠隔作用”によって電子Ｂの状態が変化する？

たとえば電子には「**スピン**」という自転運動（回転）のような性質があり、それにはいわば時計まわりと反時計まわりがある。**量子力学の理解では、ふだんこの電子は〝同時に〟両方の回転をしている。**つまり2つの状態が重なっているというのだ。だがこれを人間が観測したときには、時計まわりか反時計まわりかのどちらかしか認識できない。

ここにひとつの思考実験がある。2個の電子ＡとＢが存在し、全体としてスピンが打ち消されているとする。この場合、電子Ａのスピンが時計まわりならＢのスピンはその逆まわりである。とすれば、Ａのスピンを観測して時計まわりと認識した瞬間、Ｂも重ね合わせが解けて反時計まわりになるはずだ。

では電子ＡとＢを観測しないまま、東京とパリのような遠方に引き離したらどうなるか？　も**し量子力学の観測者効果が正しければ両者の関係は離れても続き（「量子もつれ」という）、東京で観測したＡが時計まわりとわかったその瞬間、パリのＢは反時計まわりに決定する**ことになる（**図2**）。だが**相対性理論にもとづけば、真空中を走る光より速く運動するものは存在しない。**とすれば、こんな怪しげな遠隔作用を予言する量子力学の観測者効果は明らかに間違っている――

この思考実験は、**アインシュタインとボリス・ポドルスキー、それにネーサン・ローゼンが考案**したため、３人の頭文字をとって「**ＥＰＲパラドックス**」と呼ばれた。１９３５年のことだ。量子力学の建設者たちはこの思考実験に困惑した。彼らにもこの奇妙な現象は認めがたく、なんとか解釈しようとしてもこじつけ的になるのだった。

だがアインシュタインらは結局、この観測者効果への挑戦に敗れた。というのも、後にこの**量子力学的な遠隔作用、いわゆる〝量子テレポーテーション〟の存在が実験で確かめられた**からだ。いまでは、量子テレポーテーションを利用した**量子暗号通信**や**量子コンピューター**が実用化されはじめている。■

力の統一理論

宇宙の〝4つの力〟をただひとつに

物質どうしの間ではたらく力

この宇宙では、**すべての物質と物質の間、粒子と粒子の間に〝目に見えない力〟がはたらいている**。これらの力の作用によって、宇宙ではあらゆる自然現象が起こっている。

ここで言う力（フォース）には4種類がある。**「重力」「電磁気力《でんじきりょく》」「強い力」それに「弱い力」**だ（**図2**）。これらのうち重力と電磁気力は、われわれがふだん身近に感じる力である。空に向けて投げ上げたボールは地球の重力によって地上に落下し、磁石は電磁気力によって鉄などの金属にはりつく。そこには明らかに力がはたらいているが、われわれの目にはまったく見えない。

他方、強い力と弱い力（強い相互作用、弱い相互作用とも言う）は原子の内部のミクロの世界ではたらくので、われわれに見えないだけでなく感じることもできない。

異なる力をどうすれば〝統一〟できるか

4つの力はそれぞれまったく別の性質をもつように思える。だが1920年代にアインシュタインは、「宇宙ではたらくこれらの力は見方を変えればすべて同じものであり、その現れ方が違うだけだ」と考えた。そして当時知られていた重力と電磁気力をひとつの力として理解しようと試みた。「**力の統一**」である。

アインシュタインの初の試みは成功しなかったが、数十年後の1960年代になると、物理学者たちは**電磁気力と弱い力を理論的に統一することに成功し、これは「電弱《でんじゃく》統一理論」と命名**された。そして、陽子や電子などの粒子を光速に近い速度まで加速する巨大な装置（加速器。44ペー

図1⬆アブダス・サラムらとともに電弱統一理論を完成させてノーベル賞を受賞したスティーブン・ワインバーグ。
写真／Gray Hawn & Associates

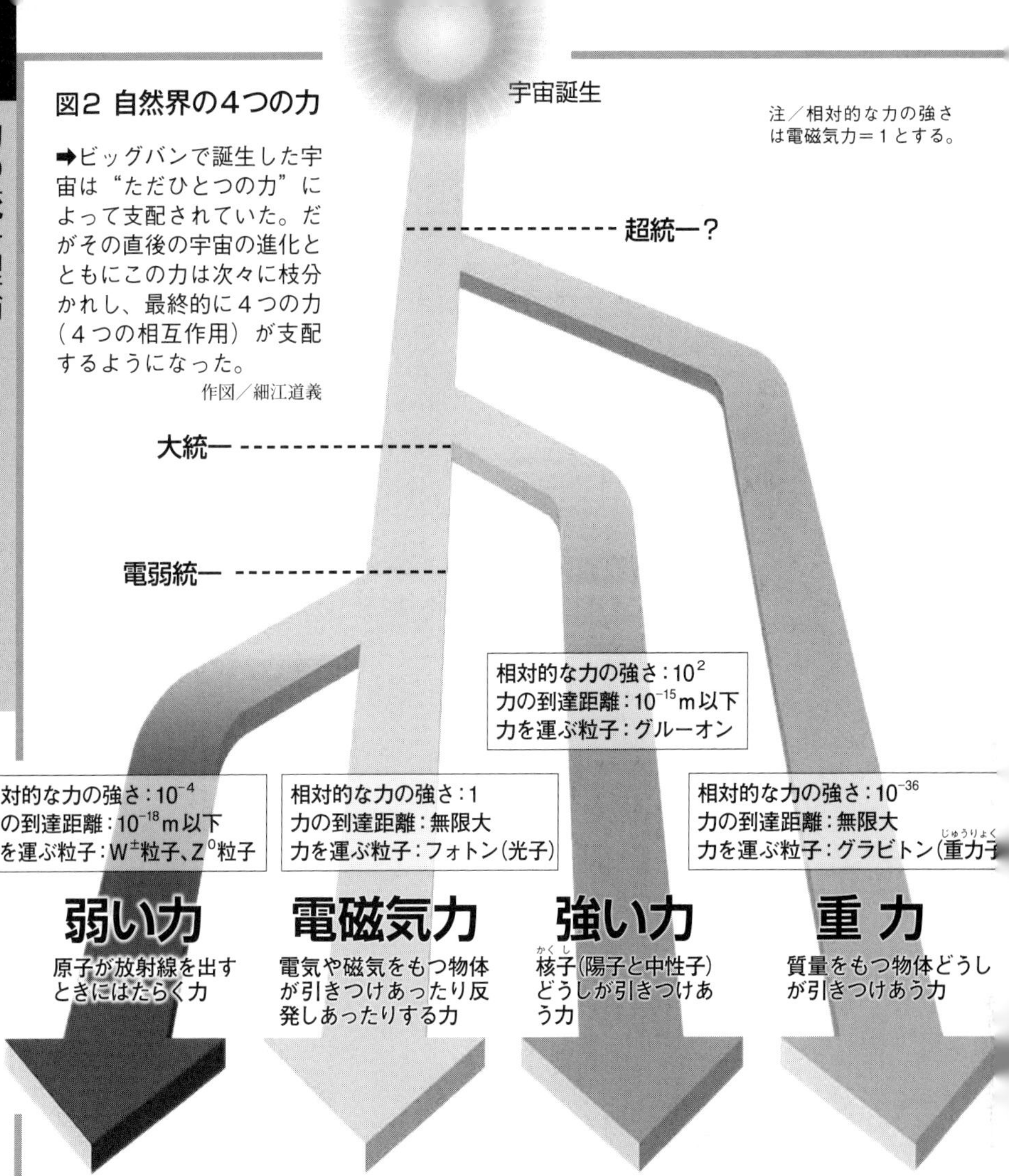
宇宙誕生
注／相対的な力の強さは電磁気力＝1とする。
超統一？
大統一
電弱統一
相対的な力の強さ：10^{2}
力の到達距離：10^{-15}m以下
力を運ぶ粒子：グルーオン
相対的な力の強さ：10^{-4}
力の到達距離：10^{-18}m以下
力を運ぶ粒子：$W^{\pm}$粒子、Z^{0}粒子
相対的な力の強さ：1
力の到達距離：無限大
力を運ぶ粒子：フォトン（光子）
相対的な力の強さ：10^{-36}
力の到達距離：無限大
力を運ぶ粒子：グラビトン（重力子《じゅうりょくし》
弱い力
原子が放射線を出すときにはたらく力
電磁気力
電気や磁気をもつ物体が引きつけあったり反発しあったりする力
強い力
核子《かくし》（陽子と中性子）どうしが引きつけあう力
重力
質量をもつ物体どうしが引きつけあう力

図2 自然界の4つの力

➡ビッグバンで誕生した宇宙は“ただひとつの力”によって支配されていた。だがその直後の宇宙の進化とともにこの力は次々に枝分かれし、最終的に4つの力（4つの相互作用）が支配するようになった。

作図／細江道義

ジ**図3**）を使って衝突させ、とほうもない高エネルギー状態を生み出せば、弱い力と電磁気力が同じ強さになることが確かめられた。こうして統一された力は「**電弱力**」と呼ばれた。**弱い力と電磁気力はただひとつの電弱力の2つの顔だった**のである。2つの力を統一する理論を生み出した物理学者たちはノーベル物理学賞を受賞した（**図1**）。

その後、3番目の力である強い力も電弱力に理論的に統一できることがわかったが（大統一理論）、この理論の実証に必要な実験（陽子崩壊《ようしほうかい》実験）★1ではまだ確かめられていない。

仮に遠からぬ将来これら3つの力が統一されたとしても、そこにさらに重力をも統一して、

図3 ←↑スイスのジュネーブ郊外の地下にある世界最強の粒子加速器（LHC：大型ハドロン衝突型加速器）。1周が東京の山手線ほどもある巨大な加速器の中で陽子や鉛イオンが超高速に加速されて衝突し、ビッグバン直後の宇宙の状態を再現する。左写真の白線（大きな円）は加速器の位置を示している。写真／上・Maximilien Brice, Julien Marius Ordan、左・Jean-Luc Caron／CERN

4つの力の真の統一理論、いわば“究極の理論”を完成させようとしても、それがどんなものかはまだわかっていない。**超弦《ちょうげん》理論★2とかループ理論と呼ばれる候補**は出ているが、仮説の中の仮説のレベルから前に進んではいない。

さらに、どこかの天才の中の天才によってこの究極の理論がつくられても、それを実験で確かめられるような超々高エネルギーを生み出す加速器を地球上でつくることはできそうもない。理屈の上では月面か宇宙空間に全長何百㎞もの加速器をつくれば可能かもしれないが、それはさしあたり絵に描いたモチである。

それでも世界の物理学者たちは4つの力の統一を目指してチャレンジを続けている。それを成し遂げれば、**人間はついに宇宙の真の姿を理解できると信じている**からだ。■

用語解説

★1 陽子崩壊実験

「大統一理論」は陽子が10の32乗年（1兆×1兆×1億年）の半減期《はんげんき》で崩壊すると予測する。われわれはこんな長い時間は測定できない。だが陽子崩壊は確率的な現象なので、大量の水に含まれる無数の陽子のどれかは測定中に崩壊するはずである。そこでアメリカのミネソタ州や岐阜県のスーパーカミオカンデで、地下深くに何万トンもの水をたくわえるタンクを設置し、その中で陽子崩壊が起こる瞬間（チェレンコフ光が生じる）をキャッチしようとする実験が行われている。

★2 超弦理論（超ひも理論）

自然界の4つの力と物質をただひとつの数学的記述で表す“究極の理論”の候補。その正体は“振動するミクロのひも”で、さまざまな長さの超ひもがねじれたり振動したりして、われわれに光子やクォークなどの素粒子として観測されるとする。しかし検証レベルにはほど遠い未達の理論。

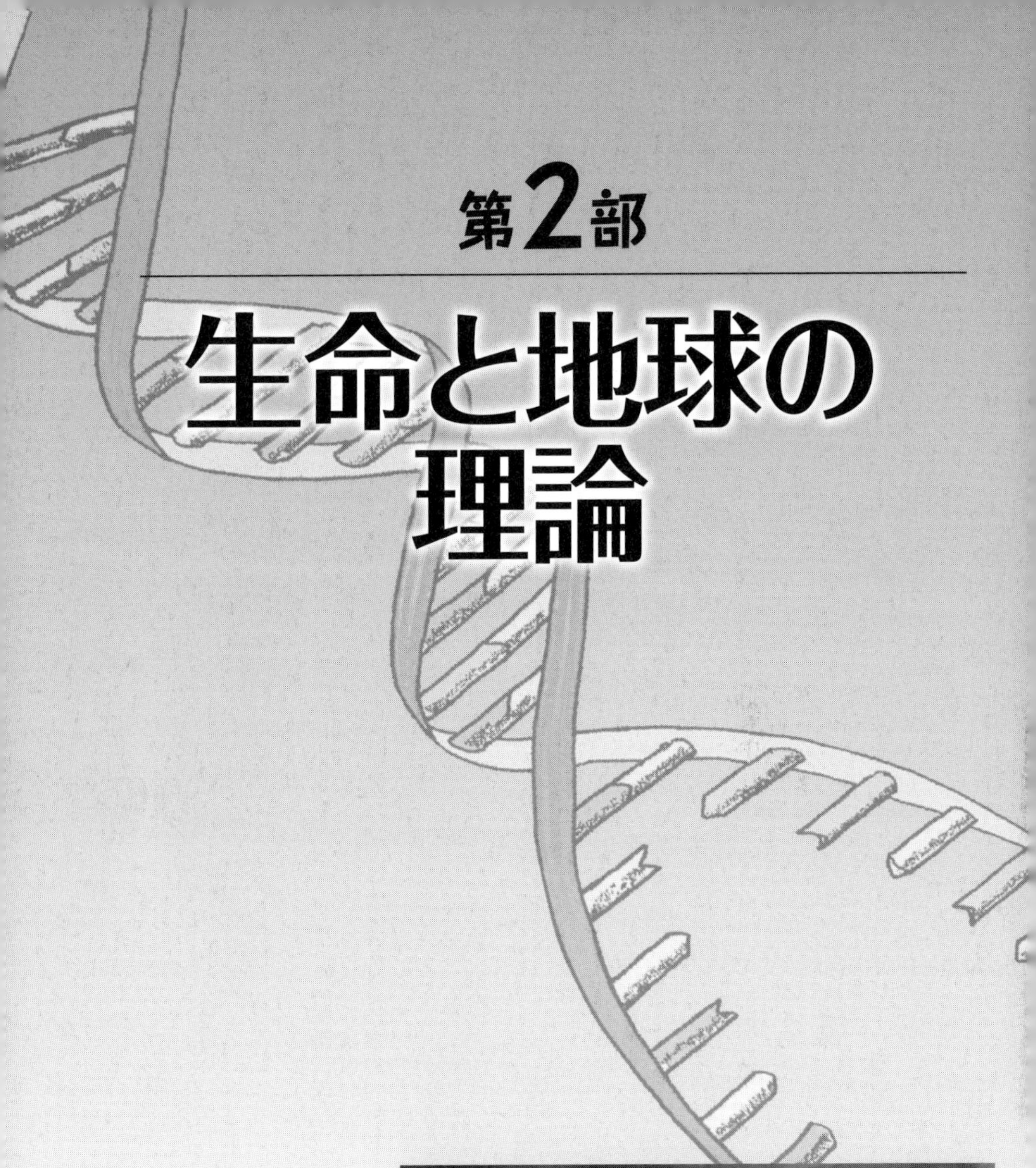

第2部

生命と地球の理論

イラスト／NASA's Goddard Space Flight Center
Conceptual Image Lab　図／十里木トラリ

大陸移動説とプレートテクトニクス

地球表面をプレートが漂流し、地震や火山活動を引き起こす

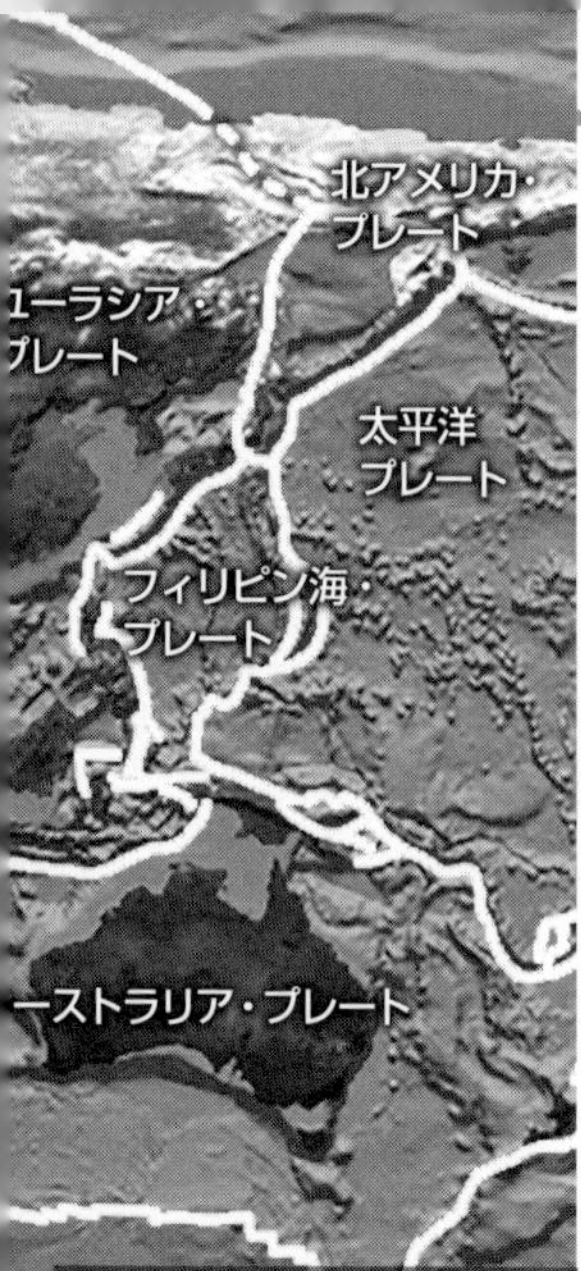
北アメリカ・プレート
ユーラシア・プレート
太平洋プレート
フィリピン海・プレート
ーストラリア・プレート

図2 ⬆個々のプレートはひび割れたタマゴの殻のように分かれ、地球内部のマントル対流に乗って地球表面をゆっくり移動している。

大陸はなぜ移動するのか?

日本列島に生きる日本人にとって、地震や火山活動がなぜどのようにして起こるのかは重大な関心事である。そして自然界のこれらの活動**（地殻《ちかく》活動）と切っても切り離せない理論がプレートテクトニクス**である。

プレートテクトニクスは**地球表面の地殻の運動についての理論**で、それによれば地球の外側は、地球の大きさから見るとタマゴの殻《から》のように薄い多数の岩盤（**プレート**）でおおわれている（**図1**参照）。これらの**プレートはどれも地球表面をゆっくり水平移動**しており（**図2**）、それらが**たがいに重なり合う「プレート境界」の周辺では、地震や火山活動などが頻繁《ひんぱん》に起こっている**とする見方だ。

プレートテクトニクスの理論としての萌芽《ほうが》は19世紀前半

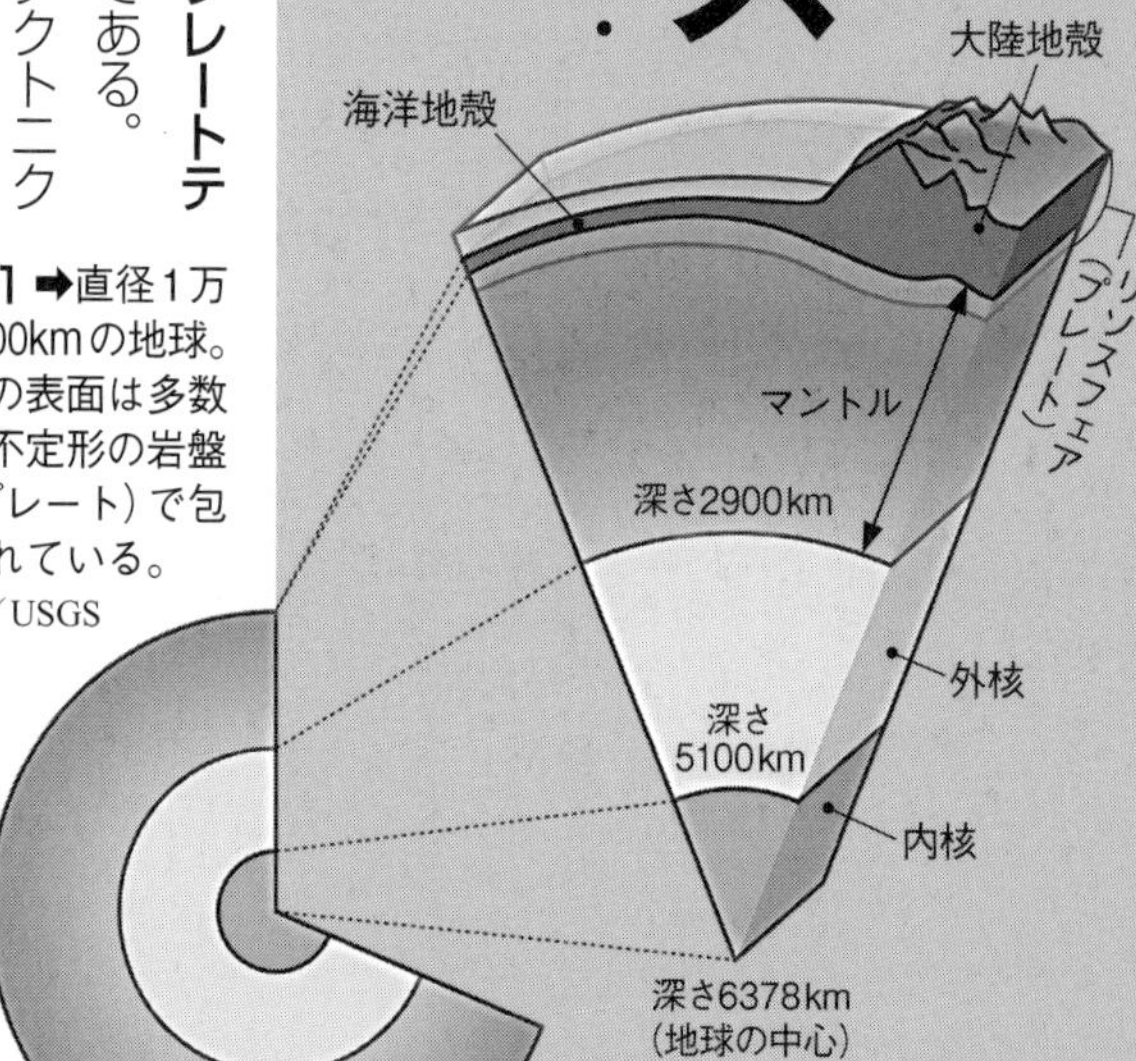
大陸地殻
海洋地殻
リソスフェア（プレート）
マントル
深さ2900km
外核
深さ5100km
内核
深さ6378km（地球の中心）

図1 ➡直径1万2700kmの地球。その表面は多数の不定形の岩盤（プレート）で包まれている。
図／USGS

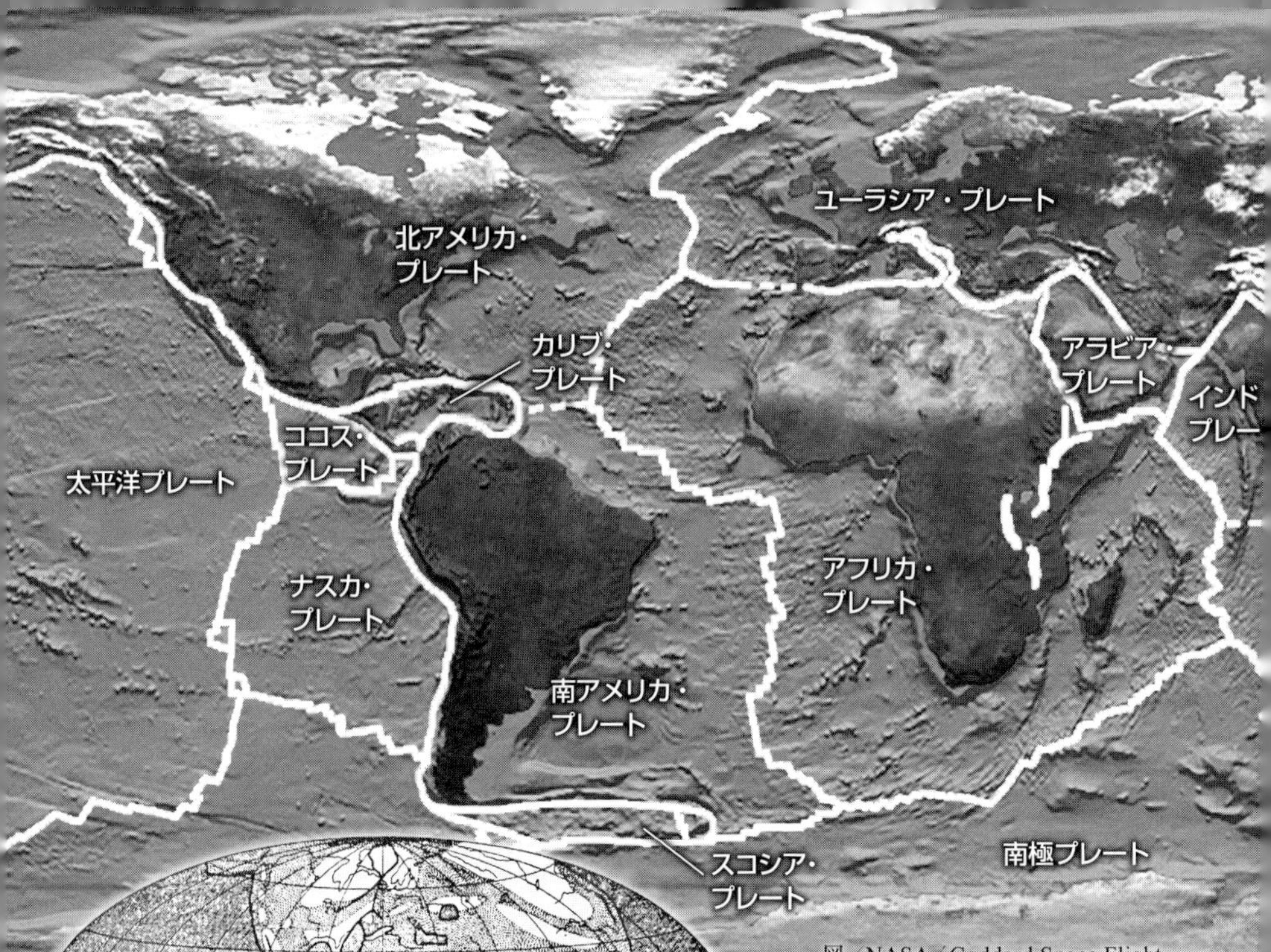
ユーラシア・プレート
北アメリカ・
プレート
カリブ・
プレート
アラビア・
プレート
インド
プレー
ココス・
プレート
太平洋プレート
ナスカ・
プレート
アフリカ・
プレート
南アメリカ・
プレート
スコシア・
プレート
南極プレート
図／NASA／Goddard Space Flight Center Scientific Visualization Studio

にさかのぼる。当時ドイツの地質学者**アレクザンダー・フォン・フンボルト**が中南米やアジアを踏査し、「南北アメリカ大陸とヨーロッパ・アフリカ大陸はかつて陸地でつながっていたが、その陸地が浸食によって消滅し、その後に

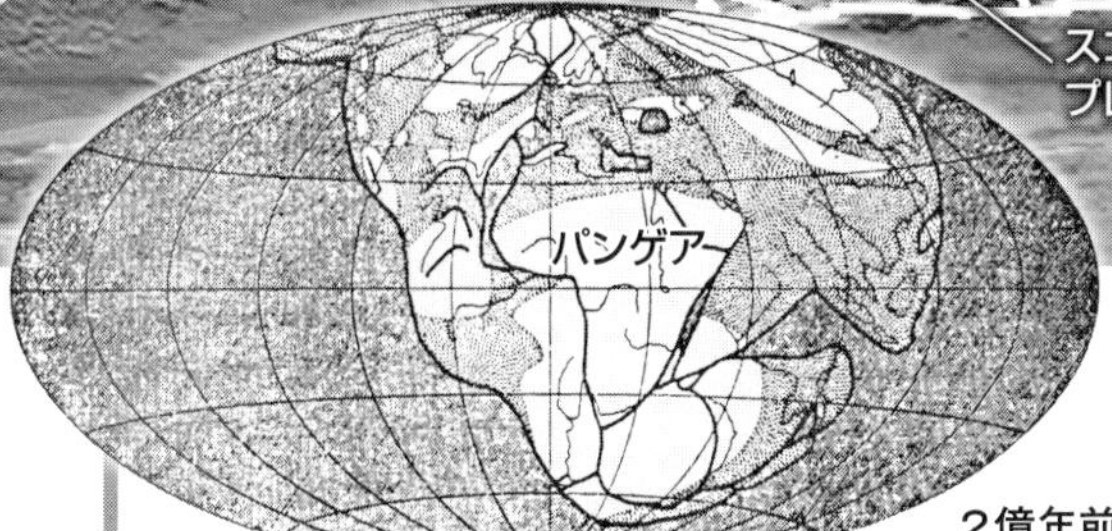
パンゲア
2億年前
(石炭紀後期)

5000万年前
(始新世)

現在(第四紀)

図3 ヴェゲナーの大陸移動説

⬆ヴェゲナーが描いた大陸移動図(原図／1912年作成)。超大陸パンゲアが分裂していまの大陸分布になった過程が描かれている。
図／Alfred Wegener und das Alfred-Wegener-Institut

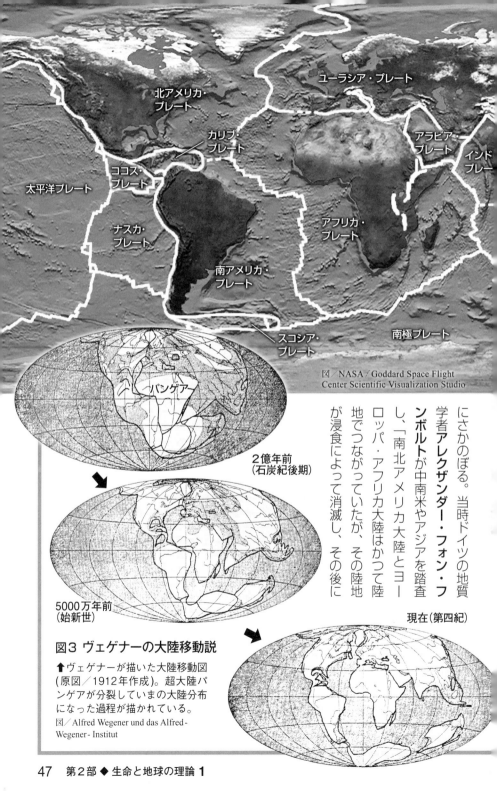

海が流れ込んで生まれたのが大西洋である」と推理した。これは、両方の大陸の海岸線がオス型とメス型のようにぴたりとはめ合わされる形をしていることから着想された。

19世紀半ばにはアメリカのアントニオ・スナイダーがアフリカと南アメリカの両大陸を接近させた地図をつくり、大陸は地殻変動によって漂流（移動）したとする説を提出した。さらに1910年にはアメリカのフランク・テイラーが、三畳紀《さんじょうき》（2億3000万〜1億9000万年前）のはげしい造山《ぞうざん》運動は大陸移動の結果だと考えた。

こうした先人たちの後に登場したのが、**「大陸移動説」を主張したドイツの探険家・地球物理学者アルフレート・ヴェゲナー**だ（**図4**）。彼は、大陸棚（海岸線ではなく）の外側に沿って線を描くと、各大陸どうしがジクソーパズルのようにみごとに組み合わさることに気づいた（47ページ図3）。

だがヴェゲナーが大陸移動説に確信を抱いた**最大の理由は、太古の生物の分布**であった（**図5**）。古生物学者の調査では、2億8000万年前に始まるペルム紀に生きていた水生爬《は》虫類**メソサウルス**の化石は、奇妙にも大西洋によって数千km も隔《へだ》てられた南アフリカと南アメリカでのみ発見される。ヴェゲナーは、これは当時2つの大陸が陸続きであった決定的証拠と考えた。同様の化石の証拠はほかにも多数見つかった。さらに、**太古の気候（氷河の分布跡から推測される）も彼の仮説を強く支持**していた（図5）。

だが当時の科学界はこの説をまともな理論とは見なかった。当時どころかその後ほぼ半世紀にわたり、**大陸移動説は"通俗的ないかがわしい話"として扱われた**のだ。

地震や火山のしくみを説明する

だが1960年代になると状況が変わりはじめた。それは**深海探査**と**古地磁気学**《こちじきがく》という2つの新分野の成果だった。海洋探査技術は深海底の構造を明らかにし、**とりわけ大洋の中央を走る海底山脈（中央海嶺《かいれい》）**の存在を突き止めた。

これをもとに、プリンストン大学の地質学者**ハリー・ヘスは「海洋底拡大説」を主張**した。中央海嶺ではつねに新しい物質が生み出されており、この物質は地球深部からマントル対流によって上昇している。こうして新たに形成された海洋底の地殻は海嶺で左右に分かれ、ゆっくり移動していく——

この説はまもなく他の研究者たちによって発展させられ、

キノグナトゥス
体長1.5m。哺乳類の直接の祖先キノドン類の仲間。
リストロサウルス
体長1m。哺乳類の特徴をもつディキノドン類。三畳紀末までに絶滅。
アフリカ大陸
インド亜大陸
南アメリカ大陸
オーストラリア大陸
南極大陸
□：氷床の範囲
メソサウルス
体長1m。ペルム紀前期に生息。
グロッソプテリス
ペルム紀の裸子植物。

図5 太古の生物の分布

↑6億年前に出現した巨大大陸ゴンドワナ。3億年前にはこれにさらに別の大陸が衝突結合し、超大陸パンゲアが生まれたとみられる。これは古生物の化石の分布からも読みとることができる。図中の帯は同種の生物化石が発見された地域を示す。

図／左上・The dinosaur book (Edwin H. Colbert et al.)、右上・©N. Tamura、下・十里木トラリ map資料／E. Tarbuck & F. Lutgens、USGS

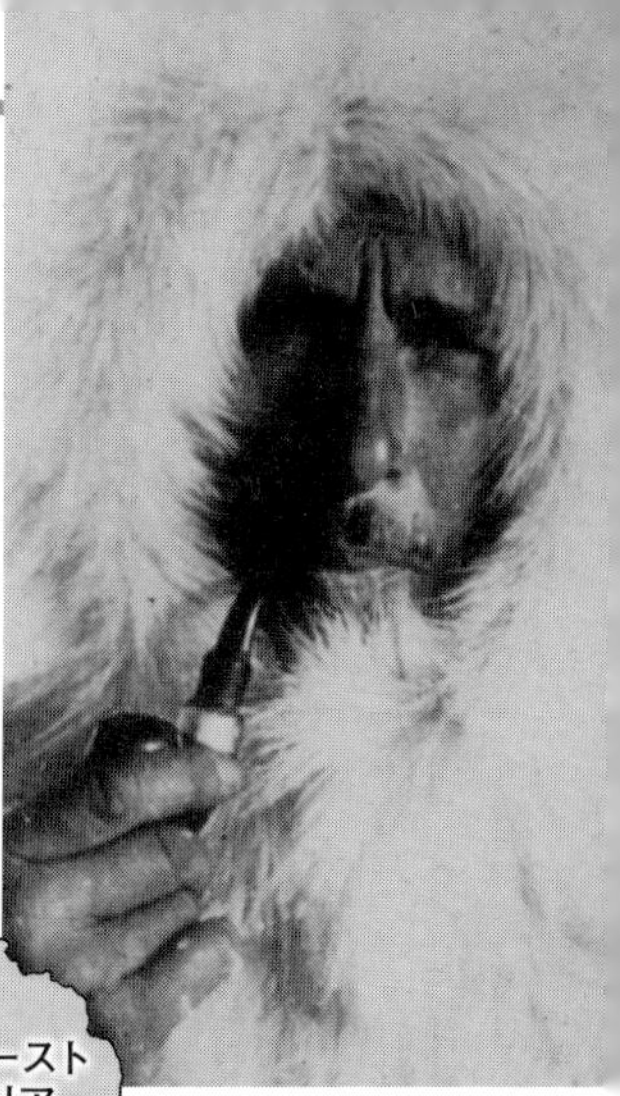

図4 ↑1910年代、アルフレート・ヴェゲナーはたびたびグリーンランドなどを探検、古気候や太古の化石などの研究から“大陸は移動する”と主張した。写真／Alfred-Wegener-Institut

マントルの上昇はある場所で地殻をつくり出すだけでなく、別の場所では地殻を海溝から地球内部に引きずり込んでおり、地球表面をほぼ一定に保っているというのであった。

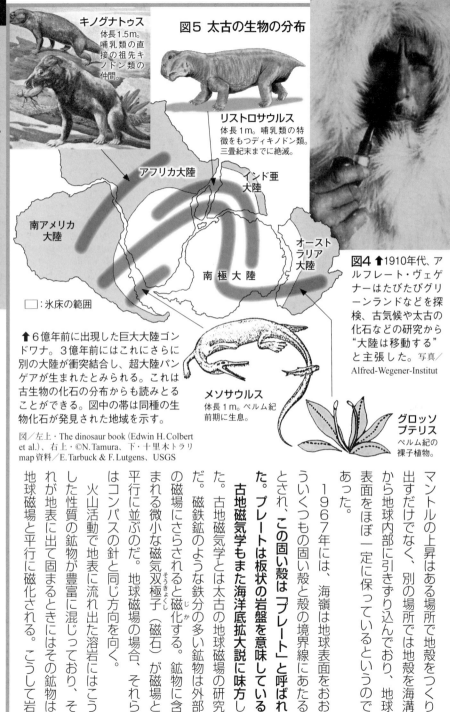

1967年には、海嶺は地球表面をおおういくつもの固い殻と殻の境界線にあたるとされ、**この固い殻は「プレート」と呼ばれた。プレートは板状の岩盤を意味している。**

古地磁気学もまた海洋底拡大説に味方した。古地磁気学とは太古の地球磁場の研究だ。磁鉄鉱のような鉄分の多い鉱物は外部の磁場にさらされると磁化《じか》する。鉱物に含まれる微小な磁気双極子《そうきょくし》（磁石）が磁場と平行に並ぶのだ。地球磁場の場合、それらはコンパスの針と同じ方向を向く。

火山活動で地表に流れ出た溶岩にはこうした性質の鉱物が豊富に混じっており、それが地表に出て固まるときにはその鉱物は地球磁場と平行に磁化される。こうして岩

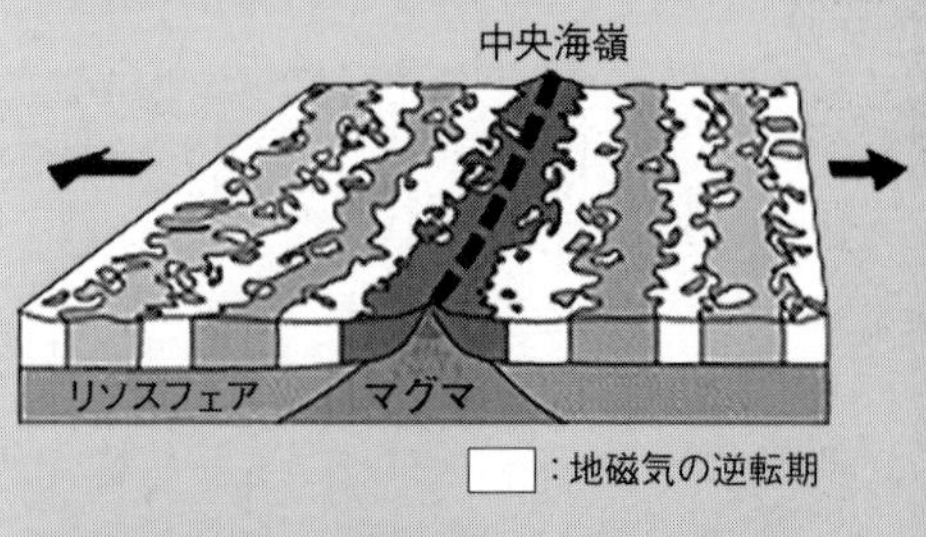
中央海嶺
リソスフェア
マグマ
：地磁気の逆転期

図6 ⬆新たな“海底”が生まれる海嶺。ここから流れ出る溶岩が固まるとき、地磁気の向きが記録される。　図／USGS

石中に閉じ込められた磁気は半永久的に“**磁気の化石**”として保存される。

だが地球誕生以来、**地磁気のS極とN極は幾度となく逆転しており、その記録は海底に残っている**（**図6**）。溶岩を生み出す海嶺の両側に地磁気の向きの異なる岩石が帯状に並んでいるのだ。その帯の幅は海嶺を中心に対称に見える。考え得る理由──それは海底が海嶺を中心に拡大し、プレートを押しているというものだ。こうしてヴェゲナーの大陸移動説は、現代的な研究によって真実性を帯びてきた。

1960年代後半になると、先の**大陸移動説と海洋底拡大説はひとつに統合され、「プレートテクトニクス」と呼ばれる新理論となった**。テクトニクスとは地質構造の意である。

ただし大陸移動説とプレートテクトニクスは同じではない。たしかに2億年前に**超大陸“パンゲア”**が存在し、それが分裂して地球表面を移動し、いまの大陸の配置になったとする推論はヴェゲナーのものだ。しかし彼の「大陸だけが移動する」との説に対し、プレートテクトニクスは、移動するのは**リソスフェア（地殻とマントル最上部を合わせた厚さ100〜200㎞の構造体＝プレート）**であり、大陸はこのプレートに乗って移動しているというものだ（**図7**参照）。そして、プレートどうしが接する境界では強力な地質活動が生じるというのである。

いまでは地球の地殻活動の大半がこのプレートテクトニクスによって説明されようとしている。しかし、プレートを駆動する力とされるマントル対流やその対流を起こすメカニズムなどについては、仮説はあるものの、いまだ推測の域を出てはいない。■

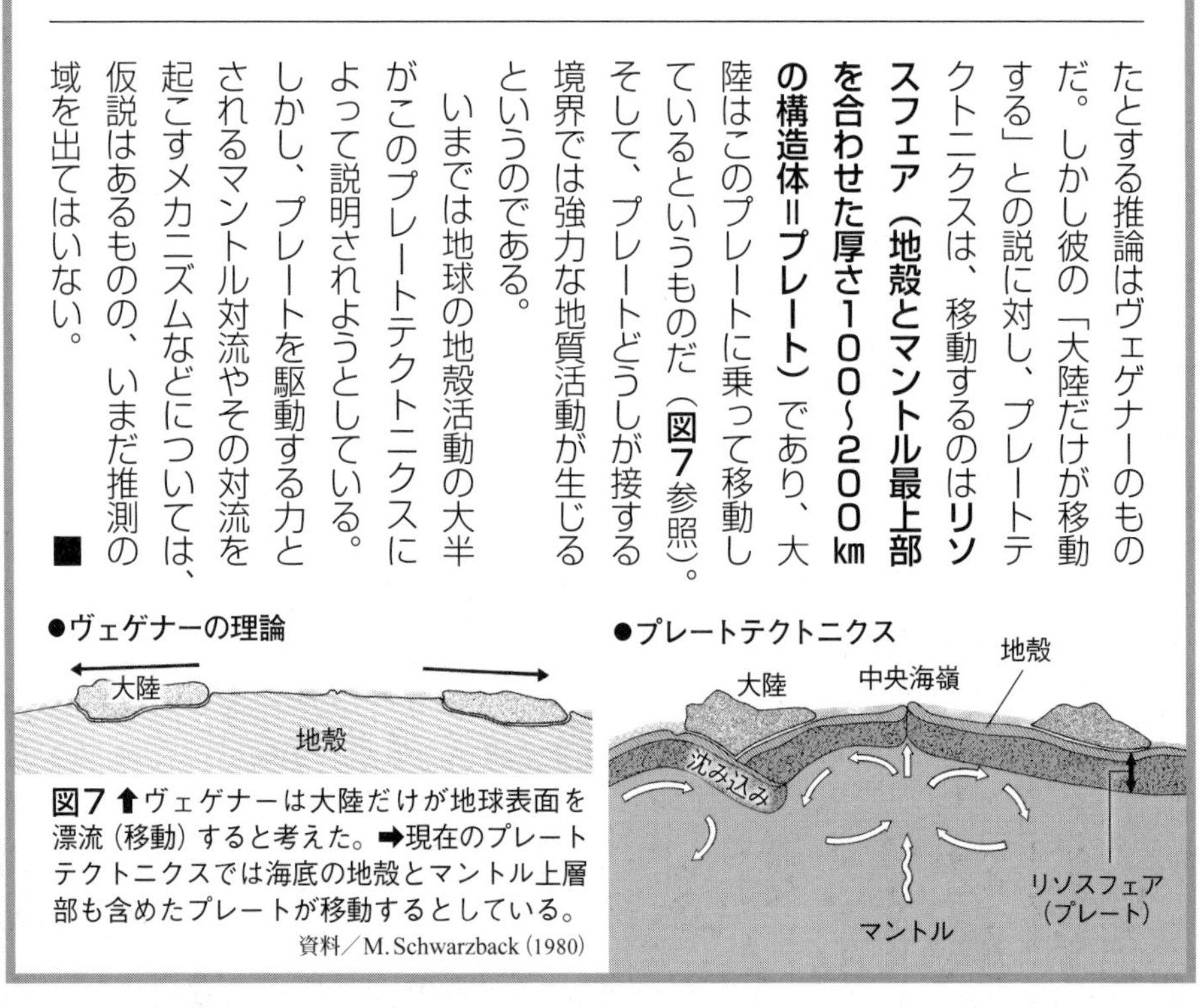
●ヴェゲナーの理論
大陸
地殻
●プレートテクトニクス
地殻
大陸
中央海嶺
沈み込み
リソスフェア
（プレート）
マントル

図7 ⬆ヴェゲナーは大陸だけが地球表面を漂流（移動）すると考えた。➡現在のプレートテクトニクスでは海底の地殻とマントル上層部も含めたプレートが移動するとしている。
資料／M.Schwarzback (1980)

「獲得形質の遺伝」と「用不用説」

生物は〝不断の努力〟で進化する

なぜ生物は環境に適応しているのか?

だれでも知っているように、川や海を泳いで生きる魚類やクジラなどの水生哺乳類はみな、水の抵抗が少ない流線形をしている。樹上で暮らすオランウータンやナマケモノはよく似た長く強い腕をもち、土中で暮らすモグラや昆虫のケラは土を掘る頑丈《がんじょう》で大きな手と爪をもっている。肉食動物は顔の前側に2つの眼があるため距離感をつかみやすく、他方、草食動物の眼は頭の両側についているので周囲を警戒しやすい。

こうして見ると地球上の**あらゆる生物は、彼らをとりま**

図1 ラマルクの進化観

⬆20世紀中頃のアメリカの教科書に載ったイラスト。キリンはつねに首を伸ばして餌を食べるため首の骨がさらに伸び、そのわずかに伸びた首が子の代にも遺伝したという。
資料/J. A. Moore, Biological Science : An Inquiry Into Life, Harcourt Brace

図2⬆生物はたえざる生存努力によって進化したと主張したラマルク（左）。1本の骨の化石から動物の種類（種）を見分けたとされるキュヴィエ。

く環境や生態に合う姿形《すがたかたち》をもっている。かつて生物のからだのこのような特徴は、東西を問わず「神が地上のあらゆる生物を創造した」ためと考えられていた。古代以来のこの見方は「**創造説**」と呼ばれる。

だが1800年、フランス貴族で植物や無脊椎《むせきつい》動物を研究していた**ジャン・バティスト・ド・ラマルク**（**図2左**）は、**「生物は〝不断の努力〟の結果、しだいに進化してきた」**と述べた。たとえばキリンは高い樹木の上の葉を食べようとたえず首を上方へ伸ばしていたので首が長くなったというようにだ（51ページ**図1**）。これは「生きていくために必要なものは発達・進化し、不要なものは退化する」という見方で、「**用不用説**」と呼ばれた。

さらにラマルクは、個体がその生涯で発達させた特徴すなわち**「獲得形質」は、次世代（子）に引き継がれると主張した。**キリンでいうなら、親が発達させたわずかに長い首は子に受け継がれ、その子が樹上の葉を食べつづけると首はさらに少し長くなる。こうして何十世代、何百世代と重ねるうちにキリンの首は長くなったという。

不遇のラマルクが21世紀によみがえる

だがこの理論は、当時の生物学界の重鎮《じゅうちん》であったフランスの**ジョルジュ・キュヴィエ**（**図2右**）にはげしく批判された。キュヴィエは、地中から発見される**生物の化石はかつての大絶滅の証拠であり、その中に進化途中の生物化石は見あたらない、いまの地球上の生物はすべて、大絶滅の後に神が〝再創造〟したものだと主張した**のだ。

ラマルクは、自説が受け入れられることがないまま晩年失明し、失意と困窮《こんきゅう》の中で1829年、生涯を閉じた。

彼の死から30年後、進化論を世に広めたのはイギリスの**チャールズ・ダーウィン**である。彼の「自然選択（淘汰《とうた》）説」は、発表後まもなく進化理論の主流となった（54ページ参照）。ラマルクの説が顧みられることはなく、とりわけ20世紀になって**遺伝子（DNA）が発見されると、ラマルク説は完全否定されたかに見えた。**というのも、DNA

は遺伝情報の〝読み出し〟しかできず、新たに得た情報を書き込むことはできないため、生物個体が生涯で発達させた特徴が遺伝子によって子に受け継がれることはあり得ないとされたのだ。

だが近年、限定的ながら**獲得形質が子に遺伝し得ることが明らかになっている**（**左コラム**）。生前も死後も不遇であったラマルクが日の目を見るときが、21世紀になってついにやってきたのかもしれない。■

COLUMN

エピジェネティクスが進化論を修正する

2001年にテキサス大学で1匹のネコが生まれた。三毛ネコのクローンでCC《シーシー》と命名された。だがCCの毛並みは白地に茶と黒の縞模様（キジシロ）だった（**図3**）。遺伝子は三毛ネコと完全に同一なのになぜ三毛ではないのか？

図3

写真／Pschemp

現在の常識では生物の遺伝物質DNAは個体の設計図であり、その**塩基《えんき》配列に生物個体の全情報が書き込まれているとされている。ところが実際にはこの見方では説明できないことも多い**。たとえば人間の体には神経細胞や心筋《しんきん》細胞など200種類もの細胞が存在する。細胞内のDNAは完全に同一のはずが、なぜ多様な細胞が生まれるのか？

またヤゴがトンボになるように、昆虫が成長するとしばしばまったく異なる姿に変わるのはなぜか？一卵性双生児が同じ環境で育てられても片方は多《た》発性硬《はつせいこう》化《か》症などの病気を発症し、他方は発症しないのはどうしてか？　これは、**個体の特徴がすべてDNA配列で決まるわけではないことを示している。遺伝子のふるまいを支配する別の要因があるということだ**。近年のこうした遺伝子の性質の研究は「**エピジェネティクス**」と呼ばれる。

三毛ネコのクローンがキジシロになったのもエピジェネティクスの結果だ。**亡くしたペットと完全に同じ個体は生まれない**。そのためいまではペットのクローンはほとんど行われていない。ちなみにCCはまったくの健康体で、元気な子も生み育て、2020年3月に18歳で死んだ。

個体の特徴にこうした違いが生じる理由はおもに遺伝子の“スイッチのオン-オフ”にある（**図4**）。たとえばDNAの一部にメチル基という分子のかけらが結合する（メチル化）と、その遺伝子は休止する。またDNAの鎖が巻きつくたんぱく質（ヒストン）の構造が変わると遺伝子の活性化や不活性化が起こる。これは細胞のがん化にも関係すると指摘された。

このような変化はまれに受精卵に残る。たとえば水中のミジンコのメスの頭は丸いが、敵が放出する化学物質を感知すると先端が尖《とが》る。するとこのメスの子や孫の頭はみな尖る。環境や生活スタイルがその個体（人間も）の遺伝情報になるということだ。これは、**科学界で否定されてきたはずの“獲得形質の遺伝”の復活**である。

図4 遺伝子のオン-オフ

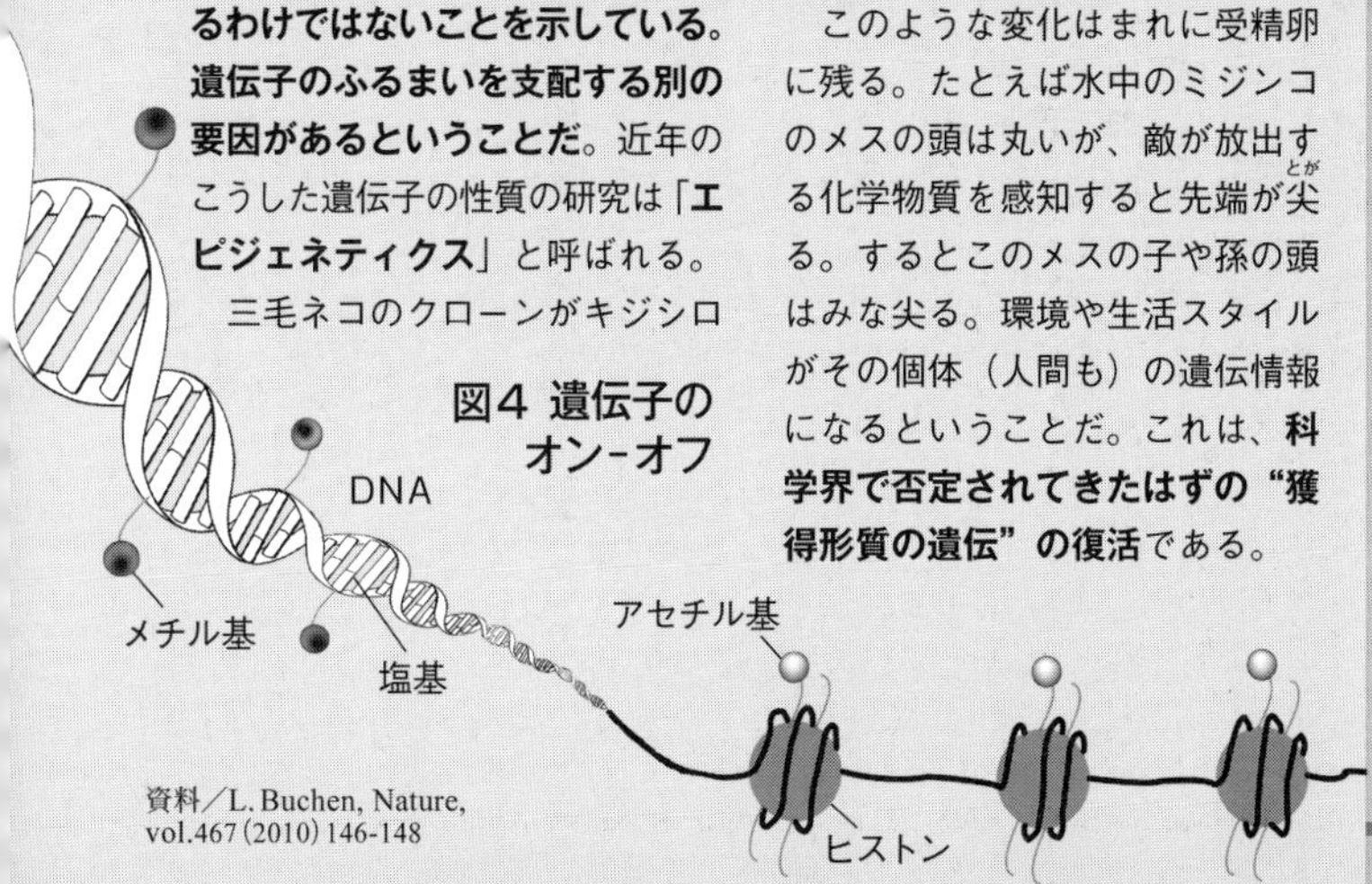
DNA
メチル基
塩基
アセチル基
ヒストン

資料／L. Buchen, Nature, vol.467 (2010) 146-148

ダーウィン進化論

生存競争に生き残る者の戦略

図１➡世界各地の生物を観察したチャールズ・ダーウィンは、その経験をもとに進化論を提唱した。
写真／Francis Darwin (ED.)

生物は「自然選択」によって進化した

地球上の生物はなぜこれほどさまざまな違いを見せるのか？　そしてなぜ彼らをとりまく環境や生態にこれほど合う姿形《すがたかたち》をしているのか――これはいまでは「**進化論**」の代名詞ともなっている**チャールズ・ダーウィン**（**図１**）が世界各地を探査して抱いた疑問であった。

１８３１年、若き博物学者であったダーウィンは、太平洋や南アメリカなどの探査を目的としたイギリス海軍の艦《かん》船《せん》**ビーグル号**（**５７ページ図４下**）に搭乗し、５年にわたって世界中のさまざまな動植物を観察した。そこで彼は、生物が多様でありながらたがいに似通る部分をもち、また**生物の姿形と環境には関連がある**ことを見いだした。

とりわけ彼が強い印象を受けたのは、南アメリカの沖合９００㎞、太平洋の赤道直下に浮かぶ火山群島**ガラパゴス諸島**である（**図２**）。地質年代的にはこれらの島々は火山島として生まれたばかりだが、巨大なゾウガメやイグアナ、フクロウやツバメ、フィンチ（ヒワの仲間）などが棲んでいた。これらは多くが島特有の種類（固有種《こゆうしゅ》）でありながら、他方で南アメリカ大陸の生物たちと似ており、類縁《るいえん》に

図2⬅ガラパゴス諸島のフィンチは島ごとに食性が異なるが、どの種も餌を食べやすいくちばしの形をしている。

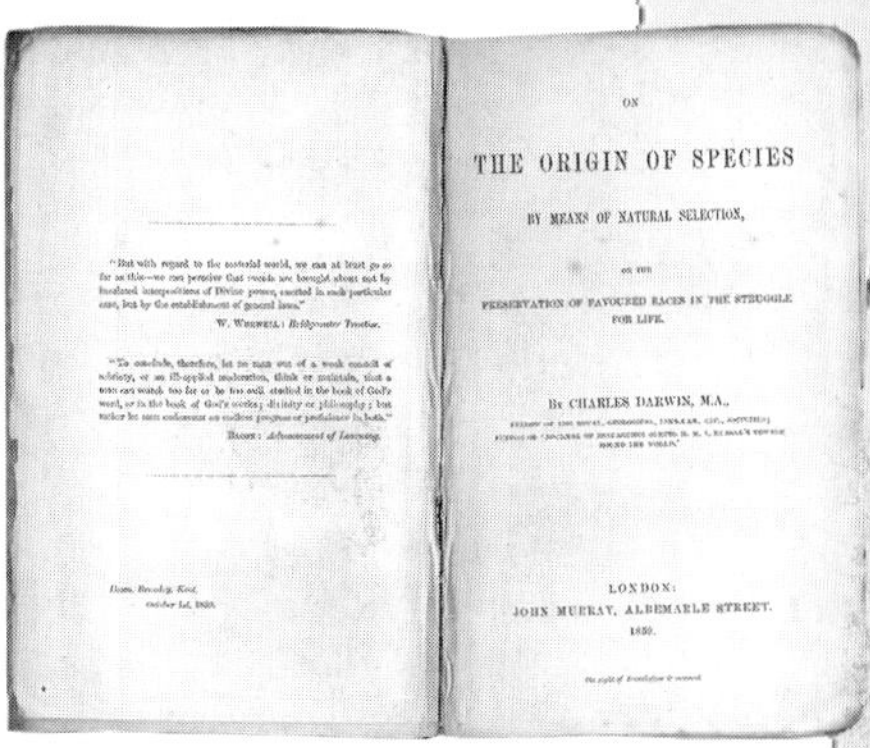

図3⬆ダーウィンの『種の起源』。発表されるなり、知識階級でセンセーションを巻き起こした。

あることを示していた。ダーウィンは、**これらの生物はもともと大陸からやってきて、群島の自然環境に合わせて変化した、すなわち「進化」した**のだと確信する。

「神秘中の神秘——すなわちこの地球における新しい生物の出現という偉大な事実にいくらか近づいたように思える」——ダーウィンは著書『**ビーグル号航海記**』でこう書いている。

だが、進化はどのようにして起こったのか？

ダーウィンはすべての生物個体、つまり個々の生き物はどれも少しずつ異なることに注目した。これらの**個体のうち生存環境により適した性質をもつものが、より多くの子どもを生み育てる**のではないか。その結果、**からだの小さな変化が親から子へ、子からその子へと引き継がれ、さらに世代ごとに変化が積み重なって、ついには新たな「種」（個体どうしがたがいに生殖《せいしょく》可能な集団）が生まれる**——

彼はこのように考え、進化が起こるしくみを「**自然選択（自然淘汰《とうた》）**」と呼んだ。そこでは、生き残ってより多くの子孫を残し、次の進化段階へと進めるのは、他の個体とのたえざる**生存競争**で勝ち残ったものである。

ダーウィンが1859年にこの進化論をまとめた著書『**種の起源**』（**図3**）を出版すると、それは歴史上前例がないほどの強い衝撃を人間社会に、とりわけ欧米のキリスト教文化圏《けん》に与えることになった。というのも、それまで西欧社会では、この世界は地球も人間もすべてが「**神によって創造された**」と信じられてきたからだ。あらゆる生物が原始的な状態から徐々に進化して複雑な生物になり、人間もまたそうした祖先生物から進化して現れたとする進化論は、文字通り神を冒瀆《ぼうとく》する邪説であった。

しかし、ダーウィンにとって進化という概念はそれほど突拍子《とっぴょうし》のないものではなかった。そもそも有名な詩人で博物学者でもあった彼の祖父**エラスムス・ダーウィン**が、現存する多様な生物は「祖先生物からしだいに進化した」とする見方を示していたのだ。ダーウィンの進化論はこの祖父の見方を礎《いしずえ》に、ビーグル号における動植物の調査結果や当時のさまざまな生物学的知見、みずからの農作物育種の観察結果などから導き出した科学的結論であった。その中心をなしている「**自然選択による適者生存**《てきしゃせいぞん》」という見方は、**マルサスの**『**人口論**』から思いついたといわれる（125ページ参照）。

この進化論は発表されるやいなや生物学の世界を飛び越えて、人間社会や宇宙の進化の議論にまで広がり、〝**社会ダーウィニズム**〟などの名のもとに現実社会でさまざまな問題も引き起こすことになった。しかしダーウィンの理論ははじめから生物の進化のみについて考察したもので、彼はそのような社会的波及効果、いいかえるなら人間社会における〝騒動〟が生じるとは予想だにしていなかった。

アメリカ人の半分は進化論を知らない

この理論にはその後、他の生物学者たちによってさまざまな解釈がつけ加えられた。こうした修正が加えられることになった最大の理由、それはダーウィンの時代にはまだ、生物の親から子へと遺伝《いでん》情報を伝える経路としての**遺伝子**の存在が知られていなかったためだ。

そのためダーウィン進化論からは少しずつ異なる多様な進化理論が派生することになり、20世紀半ばにはそれらをまとめた理論としての「**進化の総合説**」が生み出された。

近年では、ダーウィンは彼と同時代の**グレゴール・メンデル**（60ページ図1）がエンドウを用いて行った**遺伝法則**の実験などを知らなかったなどの理由から、ダーウィン進

図4 ビーグル号の南半球1周の航海

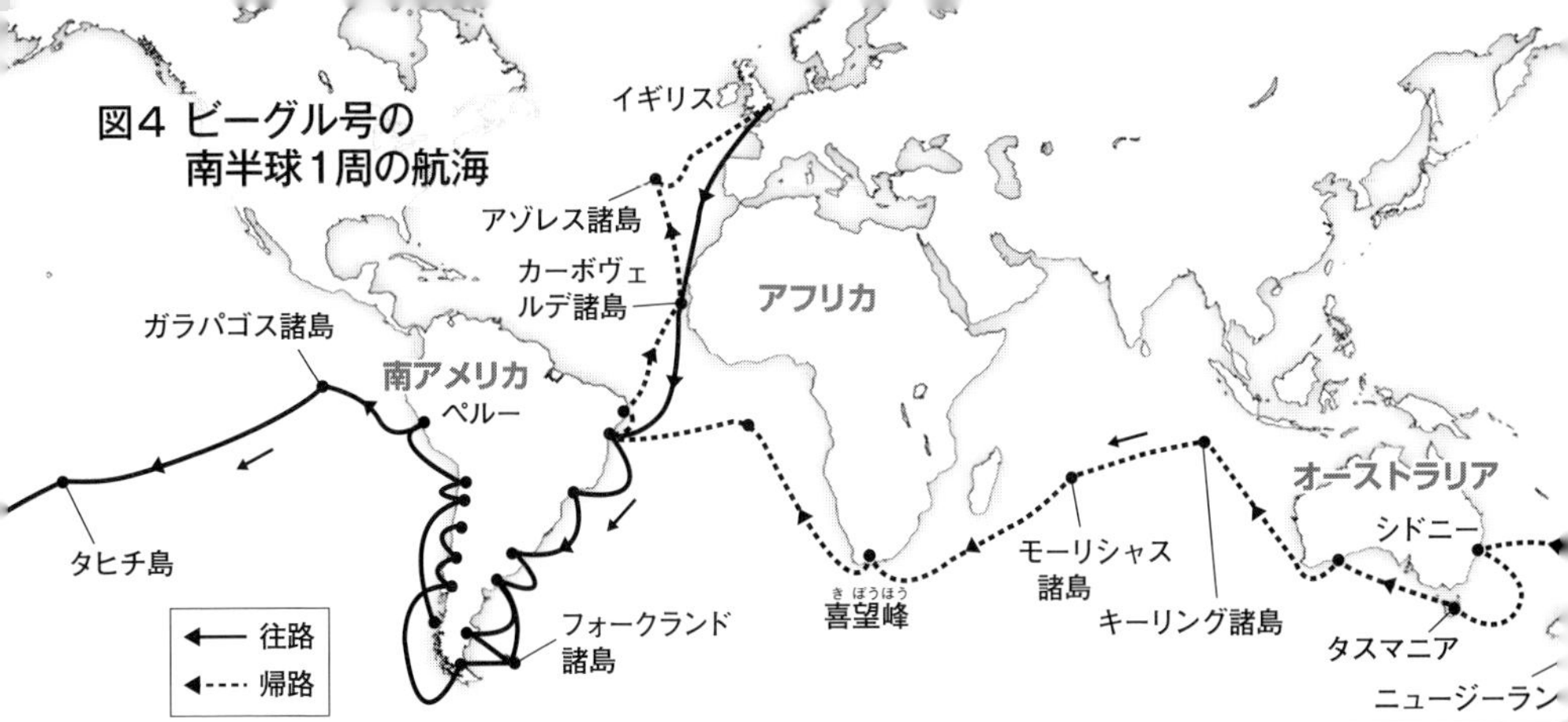
イギリス
アゾレス諸島
カーボヴェルデ諸島
アフリカ
ガラパゴス諸島
南アメリカ
ペルー
タヒチ島
フォークランド諸島
喜望峰《きぼうほう》
モーリシャス諸島
キーリング諸島
オーストラリア
シドニー
タスマニア
ニュージーラン
往路
帰路

⬆弱冠22歳のダーウィンは博物学者としてイギリス海軍の軍艦ビーグル号に搭乗した。➡この船は1831年12月にイギリスを発ち、西回りで世界を1周して5年後に帰国。その主要な目的は南アメリカ沿岸の測量であったが、ダーウィンはしばしば艦船を離れ、内陸部の動植物を調査していた。上図資料／C. Darwin, Journal of Researches during Voyage of the Beagle, etc. 右図／R. T. Pritchett

化論は過去の遺物《いぶつ》であり、もはや進化理論に彼の名を付すべきではないとの主張もある。遺伝のしくみや遺伝子の存在を知らなかったダーウィンは自然選択による進化のみを考察したのであり、自然選択のみが彼の業績だというのだ。だがそれは後世の人間の偏狭《へんきょう》な見方であろう。生物進化についての天地をひっくり返すような見方がダーウィンによってはじめて社会に広がった事実は少しも揺らいではいないからだ。

ちなみに日本ではダーウィン進化論は学校で教えられ、ほとんどだれもが常識としてそれを受け入れている。イギリスなどヨーロッパの一部の国でもあまり抵抗感はない。

だがアメリカや南ヨーロッパ、南米などでは状況はまったく異なる。**アメリカでは21世紀の現在でも3億の人口の半分近く――南部では半分よりはるかに多く――が神による創造説を信じ、そもそも進化論を知らないか拒否している。**州によっては学校で進化論を教えることを禁じてさえいる。科学研究の最先端を行くこの超大国ではいまも、進化論は科学者や一部の知識階級のものであり、一般大衆の心が創造者たる神の下にありつづけていることに少しの変化も起こっていないのである。■

「利己的遺伝子」の理論

人間は〝遺伝子の乗り物〟にすぎない

〝適者〟とはだれのこと？

21世紀のいま、世界でもっとも高名な進化生物学者といえばイギリス、オクスフォード大学教授のリチャード・ドーキンズ（**図1**）である。その彼は、**「遺伝子は生物のからだを自らが存続しつづけるための単なる乗り物として利用しているにすぎない」**と述べている。いいかえるなら**「人間もまた遺伝子の乗り物でしかない」**というのだ。

ドーキンズはあの**チャールズ・ダーウィンの進化論を現代に引き継ぐ世界最強の〝ダーウィニスト〟**であり、その主張の根幹を支えるのは「自然選択（自然淘汰《とうた》）」である。彼は、生物に進化を生じさせる力とはすなわち自然選択であり、それ以外の要因は何であれ本質的な問題ではないという——文字通りの〝**自然選択万能論者**〟である。

1976年に出版されるや世界的大成功を収めた著書『**利己的な遺伝子**』で彼は、**自然選択が生物のどのレベルに作用するか**を論じた。すなわち自然選択が、ある環境にもっとも適したもの——〝最適者〟とか単に〝適者〟と呼ぶ——をより優先的に生かすことだとしたら、その適者は生物の個体のことかまたは集団か、それとも種《しゅ》か？

人間もDNAが生き延びる手段でしかない

かつて多くの生物学者は環境に選択されるのは種だと考えた。だがドーキンズは、そう考えたことが進化のしくみを誤解する原因になったと指摘した。そして彼は、**選択されるのは「遺伝子」**であり、自然選択は個々の遺伝子の利益になるように〝利己的〟にはたらく。**自然選択とはすなわち「遺**

図1➡『利己的な遺伝子』の著者のオクスフォード大学教授リチャード・ドーキンズ。ダーウィンの進化論を現代に引き継ぐ現代最強の進化学者として知られる。
撮影／Heinz Horeis／矢沢サイエンスオフィス

図2 ←多数の個体がみごとに協力して葉を引き寄せて巣をつくるツムギアリ。他者のための「利他行動」が自らを生かす力ともなっている。作図／十里木トラリ
参考資料／B. Hölldobler／P. J. Gullan et al., Insects

伝子選択」のことだ、と喝破《かっぱ》したのだ。

ここでいう利己的とは、遺伝子がそれをもつ生物の子孫が繁栄しやすいようにではなく、**特定の遺伝子が子孫に伝わる確率が高まるようにふるまう傾向**のことである。そうしたふるまいをはてしなく反復することでその遺伝子をもつ子孫が増えれば、その種は生存競争に勝ち残る。

この説は彼の命名（利己的遺伝子：selfish gene）が災いして、遺伝子があたかも利己的な意図をもってふるまうかのように受け止められやすい。だがドーキンズが述べたのは、遺伝子は結果的に遺伝子自身を増殖させるようにふるまうという意味だ。

たとえば個体を**利他的にふるまわせる遺伝子（＝他者を利するようにふるまわせる遺伝子）**を例にとると、人間Aはこの遺伝子をもつがために兄弟や血縁者を助け、A自身は犠牲になるかもしれない。しかしその兄弟や血縁者が問題の〝利他的遺伝子〟をもつなら、彼らはAの犠牲のおかげで多数の子孫を残し、同じ利他的遺伝子が集団内に拡がっていく可能性がある。こうしたしくみは結果的に自己を利するので、それを利己的と呼んだのである。

原初の生命として〝自己複製能力をもつ1個の分子〟が生じたとき、そのコピー（**自己複製子**《じこふくせいし》）は自らを保護するため、発達の過程で自分自身を包む保護層を次々と増やした。自己複製子はしだいに複雑になって遺伝子となり、それを包む保護層は遺伝子が生き延びるための手段、すなわち**生存機械となっていった。生存機械とは実際の細胞であり細胞集団（生体組織）であり、生物や植物**である。

ドーキンズはいう──「われわれはみな、同種の複製子、つまりDNA分子が生き延びるための生存機械である」と。

だれかの知能が少しくらい高かろうが、見た目が他の個体よりいくらかよかろうが、ある生物集団がいかに多様性を示そうが、そんな差は重要ではない。生物はすべて、己の存続のためにのみ活動する遺伝子という利己的分子を守るための服従的存在でしかない──■

メンデルの「遺伝の法則」

子はなぜ親に似るのか？

図1➡メンデルは修道院でエンドウを育て、遺伝の実験を行った。

「優性」と「劣性」の遺伝のしかた

どんな生物も子は親に似る。まれに〝トビがタカを生む〟こともあるが、それは社会的性質についての比喩《ひゆ》であって生物学的な意味はない。ここで親と子が似ているとは、ひとり（1頭、1匹、1個）の生物としての特徴の共通性を示している。

生物界では親のよいところも悪いところも子に伝わる。なぜどのようにして伝わるのか？ それは**親の生殖《せいしょく》行動の結果、親のもつ特徴（形質《けいしつ》）が遺伝子を介《かい》して子に現れる**からだ。このしくみの研究が「**遺伝学**」である。

遺伝学が生命科学の一分野として確立したのは20世紀に入ってからだが、この問題がはじめて科学的に着目されたのはそれより半世紀ほど前の19世紀半ばである。そのパイオニア的な研究者の名は**グレゴール・ヨハン・メンデル**（**図1**）——オーストリアの聖職者で教師でもあった。

ブルノ（現チェコ）の修道院で司祭を務めていたメンデルは29歳のときウィーン大学に留学し、数学と植物学を学んだ。1854年に修道院に戻った彼は、本来の仕事のかたわら修道院の中庭の畑でエンドウを栽培し、植物の遺伝について研究した。そして、当時はだれも気づいたことのない重大な発見を行った。

エンドウの株にはそれぞれを区別できる明白な特徴があった。背が高いか低いか、豆の色が緑か黄か、豆にしわがあるかないか、さやは全体がふくれているかそれとも豆と豆の間がくびれているか、などだ。**個々のエンドウはこれらの点で必ずどちらかの特徴を示し、決して両者が混ざり合って中間のものができることはなかった。**たとえば黄色と緑の豆の株を受粉させても、次世代に黄緑の豆は生まれなかったのだ。

そこでメンデルは、特徴（遺伝形質）が大きく異なる2

種類を交配させたり、特有の形質をもつものを交配させたりという実験をくり返して、非常に興味深い発見をした。

優性が劣性を圧倒する第1世代

まず**2つの異なる形質には必ず優劣《ゆうれつ》がある**。ここでいう優劣とはその特徴がすぐれているか劣《おと》っているかではない。遺伝的に表に現れやすい形質を「**優性（顕性《けんせい》）**」、出にくい形質を「**劣性（潜性《せんせい》）**」と呼ぶのである。そして、優性と劣性のかけ合わせから生まれる第1世代の子では**優性が劣性を圧倒して現れる**（図2）。これは「**優劣の法則**」とか「**優性の法則**」と呼ばれる。

図2 優性と分離の法則

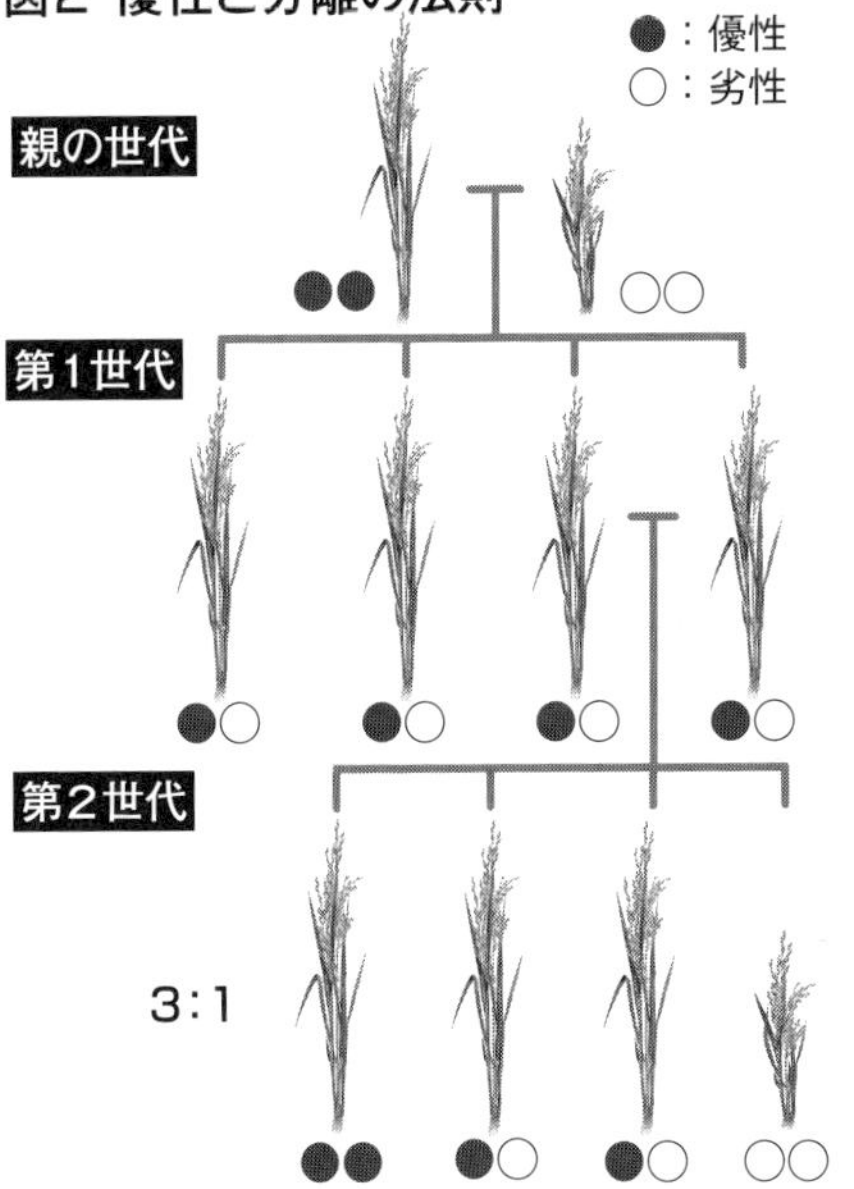

⬆優性と劣性は次世代にどう引き継がれるか？　図は背の高い形質を優性、低い形質を劣性とした場合。両者の交配で第1世代にはすべて優性の形質が現れるが、第2世代以降は優性と劣性は3対1の比率となる。

たとえば背の高い株と低い株をかけ合わせると、その雑種第1世代はすべて背の高い株になる。このとき背が高いという形質が優性、低いという形質は劣性である。

ところが、その第1世代どうしをかけ合わせて生まれる第2世代では、優性と劣性が3対1の比率で現れる（図2）。動物にあてはめて体毛が白が優性、黒が劣性とすれば、4頭の子が生まれた場合、3頭はからだが白く、1頭は黒くなる。この比率は第3世代以降も変わらなかった。

これは、親のもつ**遺伝形質どうしは独立した情報単位として子に伝わり、異なる形質どうしは混ざり合わない**ことを示している（**分離の法則**）。しかも優性の形質が3、劣性の形質が1の割合で生まれるということは、**個々の形質は2つの〝因子《いんし》〟（いまでいうなら遺伝子）がペアで担う**ことをも示している。いいかえると、個々の形質はどれも、優性と優性、劣性と劣性、優性と劣性といったペアの因子によって生じることになる。

たとえば優性の形質の因子をA、劣性の形質の因子をBとする。両親の両方から優性のAを受け継いだ場合（AA）、子は当然のことに優性の形質を示す。また一方の親から優性を、他方の親から劣性を受け継いだ場合（ABまたはBA）も、子には優性の形質が現れる。そして両親のいずれからも劣性を受け継いだ子（BB）だけが劣性の形質を示す。

　他方、**豆のしわや色などの異なる形質が子に遺伝するとき、各形質は別々に遺伝し、遺伝のしかたに関連がない**こともわかった。たとえば豆にしわがあるものすべての色が緑や黄色に統一されることはないし、黄色の豆がすべて背が高くなったりもしない。つまり**各因子は〝独立〟**しており、子にそれぞれ個別に分配される（**独立の法則**。図3）。

図3 独立の法則

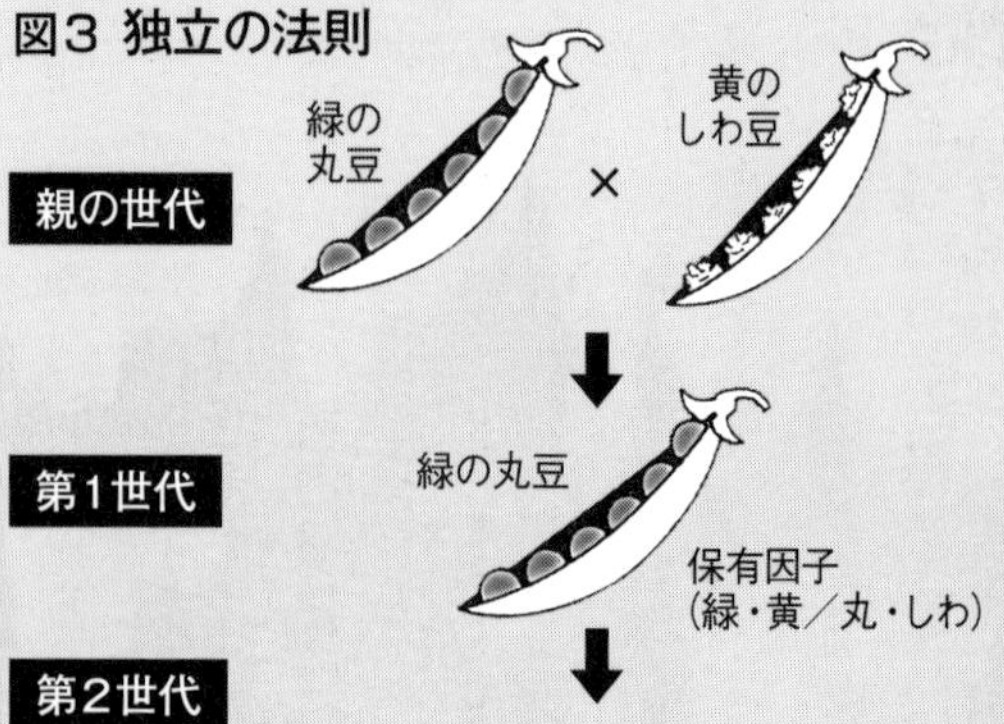
親の世代
緑の丸豆
×
黄のしわ豆
第1世代
緑の丸豆
保有因子（緑・黄／丸・しわ）
第2世代

第1世代の生殖細胞の保有因子		めしべ側（雌性）			
		緑／丸	緑／しわ	黄／丸	黄／しわ
おしべ側（雄性）	緑／丸	緑／丸	緑／丸	緑／丸	緑／丸
	緑／しわ	緑／丸	緑／しわ	緑／丸	緑／しわ
	黄／丸	緑／丸	緑／丸	黄／丸	黄／丸
	黄／しわ	緑／丸	緑／しわ	黄／丸	黄／しわ

⬆豆の雑種第2世代では緑のしわ豆や黄の丸豆も現れる。つまり、豆の色としわの有無は別々に次世代に受け継がれる。表は生殖細胞に分配される因子の組み合わせと、交配の結果として生まれる豆の特徴。

　こうしてメンデルが発見した3法則は後に「**メンデルの法則**」と呼ばれるようになる。だが当時、これらの法則性が何によって維持されているかは不明であった。後にこの遺伝情報を担う因子は「**遺伝子**（英語でgene《ジーン》）」と呼ばれるようになり、その正体は、鎖のように長い2本の高分子がらせん状に絡《から》み合ったもの、すなわち**DNA**であることが明らかになる。

　メンデルの先駆的研究は彼の存命中、科学界からほとんど顧《かえり》みられることがなかった。この法則が注目されるのはメンデルの死から10数年後の1900年、オランダとオーストリア、それにドイツの3人の研究者が個別に同じ法則性を再発見してからであった。

　20世紀に入ると、人間を含めた生物の遺伝子の研究は長足の進歩を遂げ、とりわけ遺伝子とその本体であるDNAの研究が生物学の根幹をなすことになるのである。■

生命と地球の理論 6

共生進化論

異なる生物が合体――→新種生物の誕生

図1⬆生物学界の反逆児マーギュリス。写真／Jpedreira

大腸菌とミドリムシは何が違うか？

広く知られているダーウィン進化論では、どんな生物も非常に小さな変化を積み重ねて少しずつ進化する（54ページ記事参照）。生物進化についての王道的なこの見方に大反論を行ったのが、アメリカの微生物《びせいぶつ》学者**リン・マーギュリス**（**図1**）である。彼女はさまざまなミクロの生物をくわしく観察し、**進化はときには〝一足飛び〟に起こる**と確信した。

マーギュリスがとりわけ注目したのは、細菌や古《こ》細菌★1などの「**原核《げんかく》生物（原核細胞）**」であった（64ページ**図2右**）。原核生物はどれも単細胞《たんさいぼう》生物、つまり細胞1個の生物で、生物史の最初期に現れたとみられている。彼らの体内のつくりはかなり単純で、遺伝子《いでんし》は膜《まく》に包まれてはおらず、細胞を支える骨格のようなものもない。他方、彼らの形はらせん形や棒状、球形などさまざまで、その性質も驚くほど多様だ。身近な大腸菌や乳酸菌なども原核生物である。

これに対し、われわれがよく知る哺乳類や魚類、爬《は》虫類、昆虫、植物、キノコなどの多細胞《たさいぼう》生物はすべて「**真核《しんかく》生物**」である（**図2左**）。加えてミドリムシやゾウリムシなど一部の単細胞生物も真核生物の仲間だ。

真核生物は進化の歴史においては原核生物に比べて新参者。その細胞（真核細胞）は原核生物よりはるかに大きく、10～100倍もある。細胞の内部では遺伝子がかたまり状になって膜に包まれ、「**細胞核《かく》**」をつくっている。真核細胞の形はふだんは細い管★2で支えられ、内部には**細胞小器官**

用語解説

★1 古細菌
原核生物の一種。高温地域で生きる好熱菌、塩湖などに棲む好塩菌などがいる。大腸菌や乳酸菌などの一般的な細菌（真正細菌）より真核生物に近い。

★2
微小管《びしょうかん》のこと。チューブリンというたんぱく質からなる。ふだんは細胞を支えるほか、たんぱく質移動の“レール”として物質運搬にも利用される。必要に応じて分解・再構築され、細胞分裂時の染色体の移動にもかかわる。

★3 細胞小器官（オルガネラ）
細胞内にはそれぞれ異なる役割をもつ小さな構造物が複数存在する。これを細胞小器官という。葉緑体、ミトコンドリア、ゴルジ体、リボソームなど。

（オルガネラ）★3と呼ばれる各種の小さな〝装置〟がいくつも存在する。たとえば光合成を行う葉緑体、栄養素を分解してエネルギーを生み出すミトコンドリアなどである。

　原核生物と真核生物はいちじるしく異なっている。同じ単細胞でも**原核生物とゾウリムシのような真核生物との違いは、ゾウリムシと人間の違いより大きい**とされている。そのため原核生物がどうやって真核生物に進化したかは長らく謎であった。ダーウィン進化論が主張するような**小さなステップの積み重ねで、どうすれば真核生物が誕生するのかまったくわからなかった**のだ。

　そこにひとつの解答を示したのがリン・マーギュリスだ。彼女の提唱した**「細胞共生説《さいぼうきょうせい》」では、真核生物は「原核生物どうしの共生」によって誕生した**という。

　20億年以上前、地球にはさまざまな原核生物がいた。回転しながら推進する細胞、エネルギーを生産する細胞、光合成をする細胞などだ。これらは**より大きな細胞（宿主《しゅくしゅ》細胞）に入り込み、ついに原核細胞が宿主細胞と合体して新たな細胞になった**。これが真核細胞である（**図3**）。葉緑体やミトコンドリアなどの**細胞小器官は、宿主細胞に入り込んだ原核細胞が変化した姿**だというのである。

ダーウィン進化論は小さな一面

　マーギュリスの共生進化説（共生発生説、共生説）は当初、他の生物学者たちからほとんど注目されなかった。だが生物学界の〝鉄の女〟とも呼ばれる彼女は一歩も引き下がらず、生物学の国際会議でこう断言した――「**進化において重要な出来事はすべて共生によって起こった**のです」

　彼女から見ると、他の大半の生物学者は生物の80％を占める細菌に目を向けない偏狭《へんきょう》な精神の持ち主である。「彼らにとって世界は哺乳類の登場とともに始まったようなものなのです」

　彼女のいう共生発生を簡潔にいうなら、それは、異なる種類の生

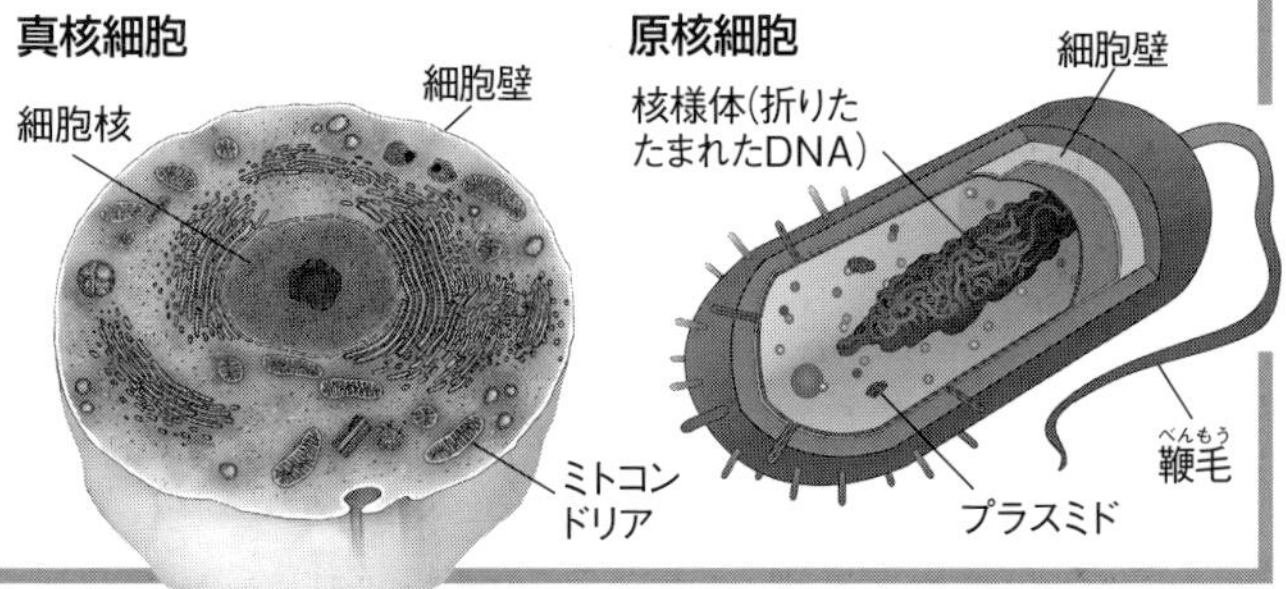

真核細胞
細胞壁
細胞核
ミトコンドリア
原核細胞
細胞壁
核様体(折りたたまれたDNA)
鞭毛《べんもう》
プラスミド

図2➡真核細胞の遺伝子は膜に包まれているが、原核細胞では折りたたまれているだけで膜はない。図の真核細胞は動物のもの。図／右・Mariana Ruiz Villarreal, LadyofHats、左・矢沢サイエンスオフィス

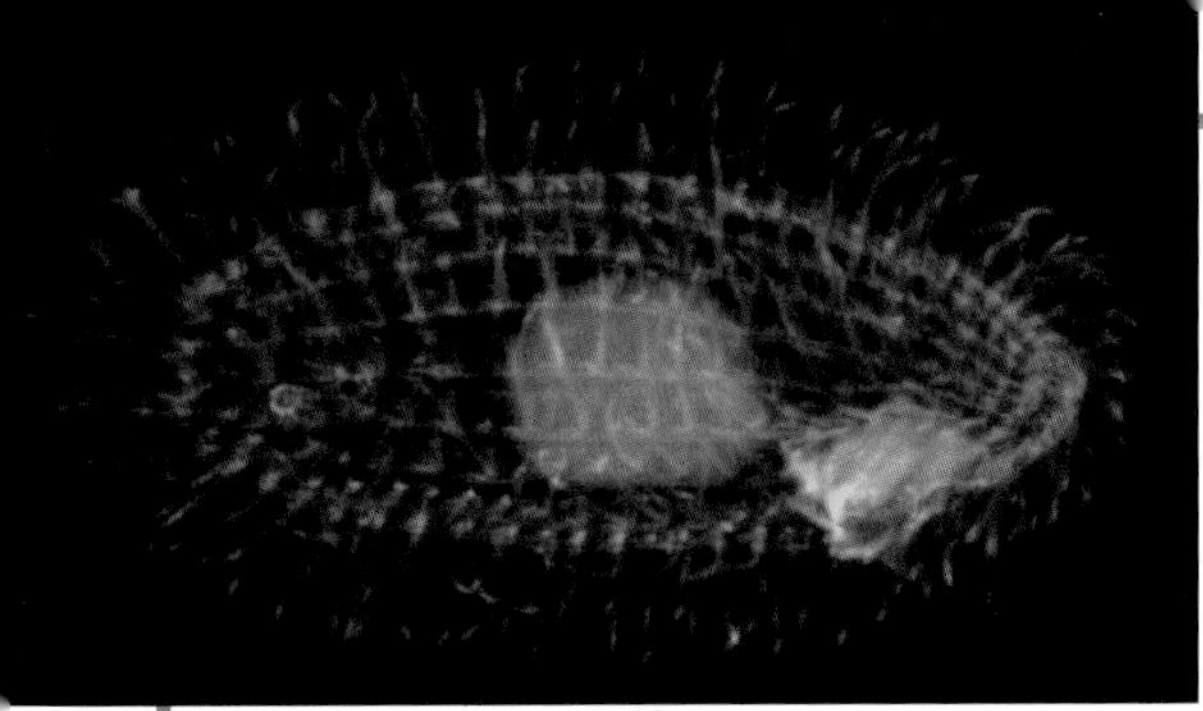

図4 ⬆真核細胞の繊毛《せんもう》は、らせん状の細菌スピロヘータの共生によって生まれた？　写真は細胞全体が繊毛におおわれた真核生物テトラヒメナ。

写真／R. Robinson, PLoS Biol., vol. 4 (2006) e304

図3 共生による進化

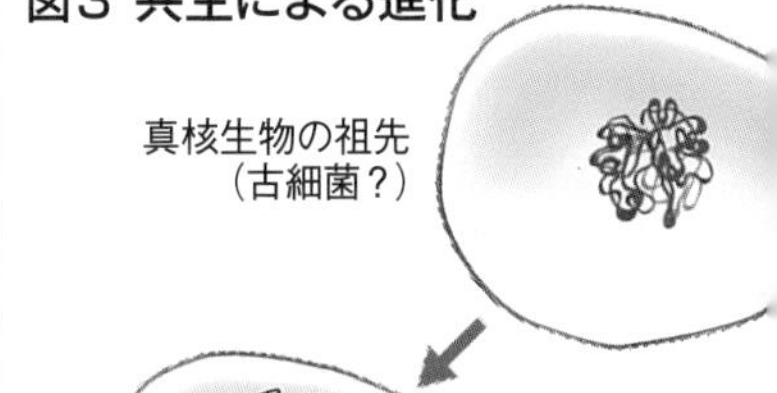
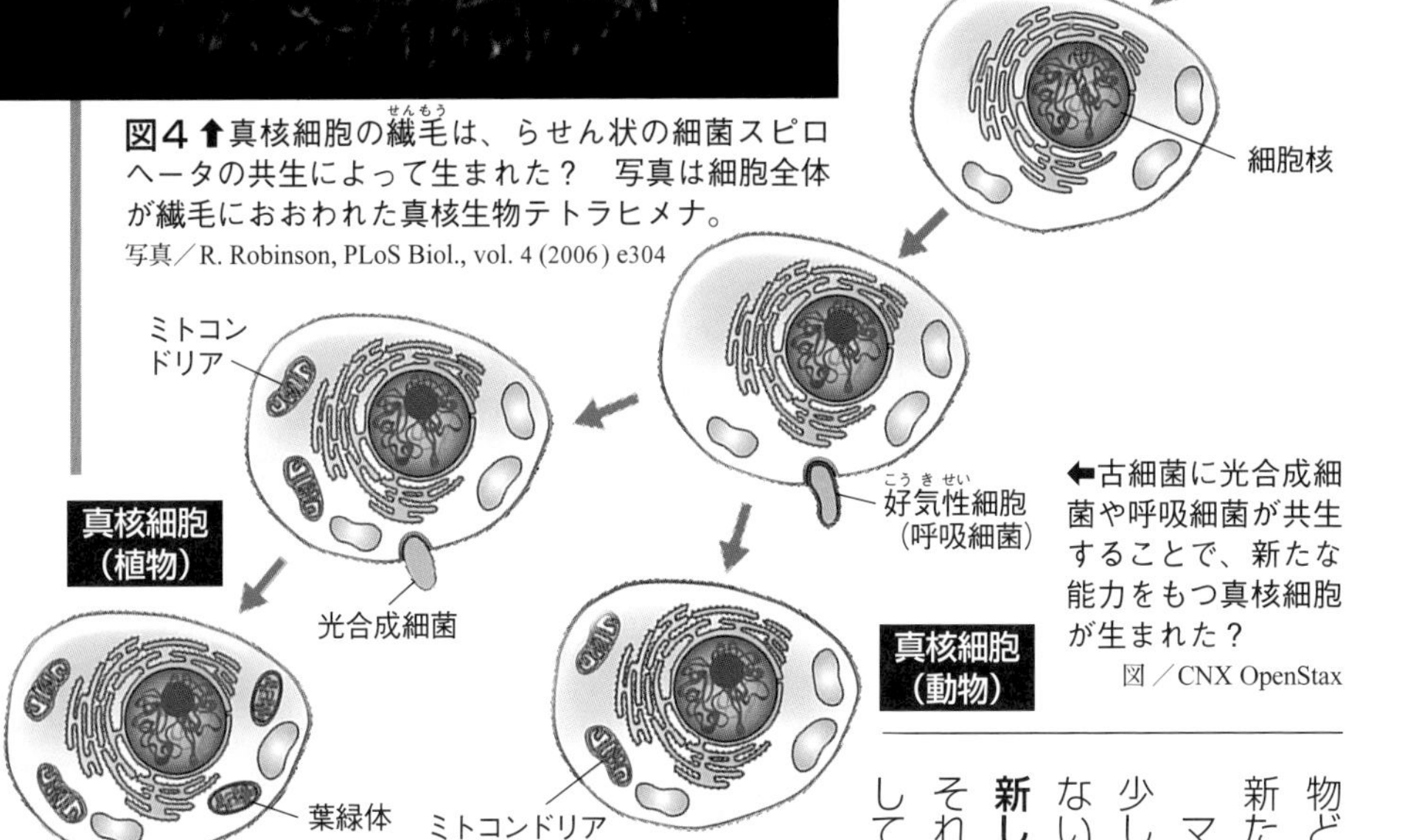

真核生物の祖先
（古細菌？）
細胞核
好気性《こうきせい》細胞
（呼吸細菌）
ミトコンドリア
光合成細菌
真核細胞
（植物）
葉緑体
ミトコンドリア
真核細胞
（動物）

⬅古細菌に光合成細菌や呼吸細菌が共生することで、新たな能力をもつ真核細胞が生まれた？

図／CNX OpenStax

物どうしが共生した結果、新しい細胞や器官、新たな生物、新たな行動や特性が生まれたということである。

マーギュリスは、ダーウィン進化論が主張する「生物は少しずつ進化する」という見方は進化の小さな一面でしかないと断じる。ある同種の**生物集団（種《しゅ》）が枝分かれして新しい種が生まれるのは"変異の蓄積《ちくせき》"によってではない。**それはある集団が別種の生物を体内に獲得《かくとく》し、それと合体して共生進化する結果だという。

多くの生物学者はマーギュリスの共生進化説は小さな生物においてのみ正しいと考えてきた。だが、たとえばクラゲの仲間カツオノエボシのように多数の個体が共生してひとつの大きな個体のようにふるまう生物や、豆類と窒素固定菌のようにたがいの存在なしでは生きられない生物も少なくない。

近年、ある種の**昆虫で、自分に共生した細菌から多数の遺伝子を取り込んで自分の遺伝子の一部にした**例が見つかった。哺乳類にも複数のウイルス遺伝子が組み込まれていることが明らかになっている（66ページ参照）。われわれ人間も、ある種のウイルスとの共生によって誕生したといえそうなのである。■

ウイルス進化論

新型コロナウイルスは人類を進化させる？

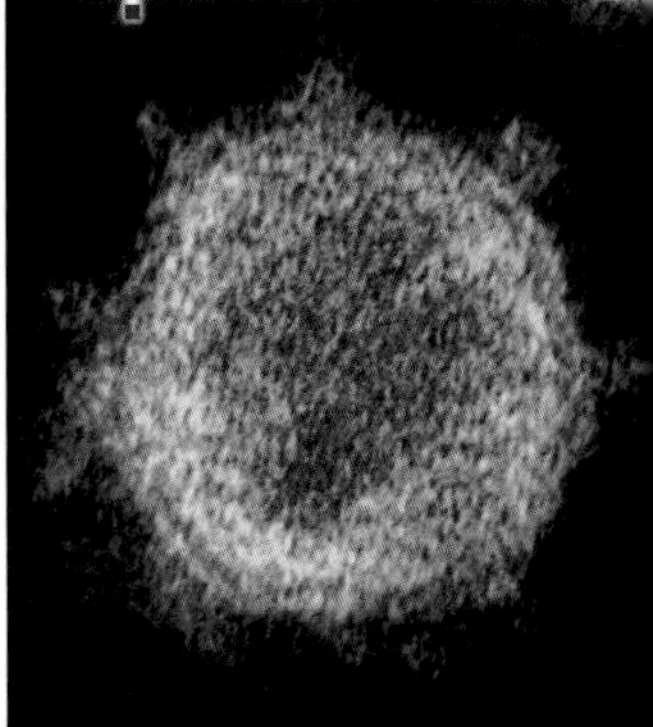

図1 ⬆コロナウイルスがもたらすのは死か、人類の飛躍か？　写真／NIAID

野生動物のウイルスが〝凶悪化〟

2019年末、そのウイルスはひそかに人間に感染しはじめた。発生地は中国中東部の工業都市武漢《ぶかん》（ウーハン）とみられている。武漢は人口1100万人の中国有数の大都市で、経済活動と交通の要衝《ようしょう》でもある。12月、正体不明の感染症が拡がりつつあることに気づいたある眼科医が医師たちに警告《けいこく》したが、社会を混乱させる違法行為を行ったとして共産党政府に処罰された。

20年1月、中国政府はようやく新型ウイルスによる感染症の発生を認めたが、国営メディアは当初、このウイルスは「人から人には感染しない」と報じた。★1 だがその後わずか数週間でウイルスは武漢全域に蔓延《まんえん》、さらに日本、ヨーロッパ全域、アメリカなどに飛び火し、燎原《りょうげん》の火となって文字通り地球上全域に拡大した。**人類史上前例のない拡がりを見せはじめたこの感染症の犯人**こそ、同年9月1日時点で世界で2500万人が感染し、1日に数千〜1万人以上の命を奪っている新型コロナウイルス。このときすでに死者数は約85万人に達し、感染はどこまで拡がるかだれも見当がつかない。

コロナウイルスはもともと風邪のウイルスとして知られており、ウイルスのまわりに突き出た多数の突起が太陽のコロナ（**図1**。コロナは〝王冠〟の意）のように見えることからこの名がある。重度の肺炎を起こすSARS《サーズ》やMERS《マーズ》もコロナウイルスの一種だ。★2 武漢で発生したこの新型ウイルスは、**SARS-CoV-2《サーズコブ》と名付けられ、感染症名は「COVID-19《コビッド》」**と呼ばれることになった。

ウイルスの発生源はまだ明確ではない。武漢の生鮮《せいせん》市場、

用語解説

★1
中国は1月20日に人から人への感染を認めた。武漢の3月までの死者数についても発表は3869人だが、1月下旬から火葬場がフル稼働していたことなどから死者をはるかに多く見積もる研究者も少なくない。

★2
SARSは重症急性呼吸器症候群、MERSは中東呼吸器症候群の略称。前者の致死率は15%、後者は20%とされている。

図2 ウイルスの感染

➡コロナウイルスの構造。膜は人間の細胞と同じだが、まわりには多数のスパイクたんぱく質が突き出している。

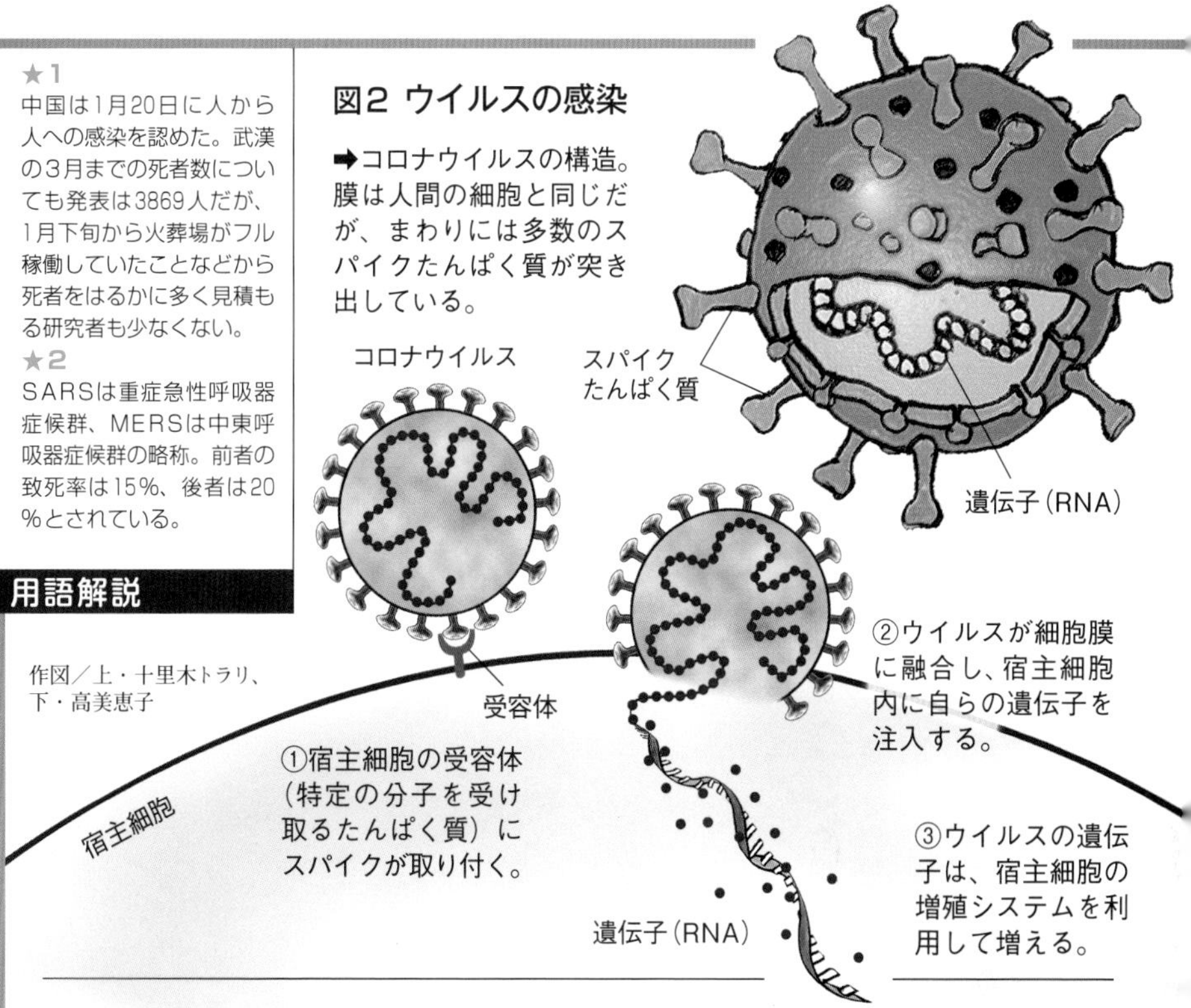
スパイクたんぱく質
遺伝子（RNA）
コロナウイルス
受容体
宿主細胞
①宿主細胞の受容体（特定の分子を受け取るたんぱく質）にスパイクが取り付く。
②ウイルスが細胞膜に融合し、宿主細胞内に自らの遺伝子を注入する。
③ウイルスの遺伝子は、宿主細胞の増殖システムを利用して増える。
遺伝子（RNA）

作図／上・十里木トラリ、下・高美恵子

同市にあるウイルス研究所から漏出《ろうしゅつ》、既存のウイルスの人為的改変の産物などの説が出されたが、どれも推測の域を出ない。ちなみに武漢の生鮮市場では、海産物や豚肉や鶏肉などの通常の食肉のほか、ヒツジ、ラクダ、ハリネズミ、ビーバー、ヘビ、センザンコウ、コウモリなどあらゆる野生動物がしばしば生きたまま売られていた。

このように人間と動物が混在する環境では、野生動物特有のウイルスが人間に感染することは少なくない。人間により近い動物の体内でウイルスが二重三重に感染（多重感染、複合感染）すると、それらのウイルスが人間のウイルスと混じり合ったときに〝進化〟することがある。**野生動物特有のウイルスが人間に感染できるしくみを獲得《かくとく》**してしまうのである。

こうしたウイルスはしばしば〝凶悪性《きょうあく》〟を発揮する。もともとの野生動物にとっては無害でも他の動物にとって致《ち》命《めい》的になることが少なくないのだ。たとえば、HIV《エイチアイヴィ》（エイズウイルス）やエボラウイルスなども、野生動物から感染し、さらに進化（遺伝子変異）したとみられている。新型コロナウイルスによく似ているSARSウイルスは本来はコウモリのウイルスと推測され、新型コロナウイルス自体も同じくコウモリのウイルスがセンザンコウを介《かい》して人間に感染した可能性があるともいう。

　とはいえ、ウイルスの初期の凶悪性がいつまでも続くとはかぎらない。というのも、**ウイルスが宿主《しゅくしゅ》となった人間を片端から殺せば、ウイルスはそれ以上の感染がむずかしくなる**からだ。そのため、より穏《おだ》やかなウイルスが致命的ウイルスを凌駕《りょうが》していく。当初感染者の50〜90％を死亡させたエボラ出血熱も現在の致死率は30〜80％程度とされている（これは一定の治療法が確立したためかもしれない）。

　第一次世界大戦後に世界的に大流行した**スペイン風邪**（インフルエンザ）は5000万人ともいわれる死者を出した。だがいったん感染が限界まで拡大すると、以後の人々はこの**ウイルスに対する免疫《めんえき》**（防御のしくみ。**下コラム参照**）を獲得《かくとく》し、その後はかかりにくくなったり発症しても軽い症状ですんだりする（ちなみにスペイン風邪は他のインフルエンザに圧倒されて根絶したとみられている）。現在ならワクチン接種も免疫獲得に一役買うことになる。人類はこうしてさまざまなウイルスと共生してきたのだ。

　人類とウイルスの関係はこのような〝共生〟だけではない。研究者たちは、**ウイルスは「生物を進化させる存在」**であることも突き止めている。実際、人間の遺伝子《いでんし》の中にもウイルスの遺伝子を見ることができる。これはウイルスに感染しているのではなく、**人体が過去に感染したウイルスの遺伝子を自身の遺伝子として利用**しているのだ。

ウイルスとはそもそも何か？

　ウイルスは厳密にいえば生物とはいえない。自分自身では増殖《ぞうしょく》できないからだ。しかし**ウイルスもまた他の地球生物と同様に遺伝子をもっている**。生物と同様のDNAやそれによく似たRNAである。

　しかしウイルスは遺伝子以外にはそれを包むたんぱく質しかもたない。そこでウイルスは、他の生物に感染してそ

COLUMN

防御のしくみ「免疫」と「抗体」

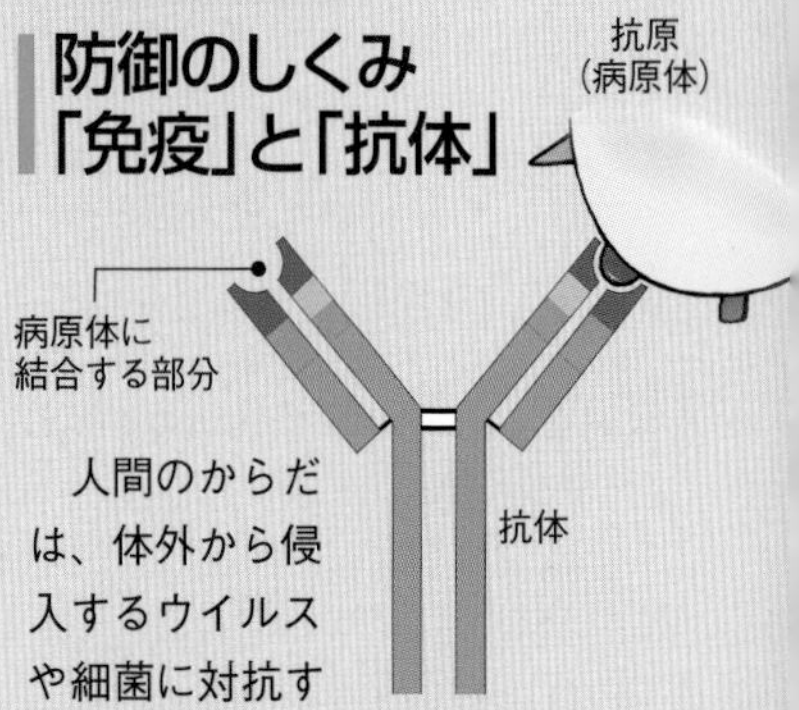

　人間のからだは、体外から侵入するウイルスや細菌に対抗する「免疫」というしくみをもっている。その中枢をなすのが「抗体」だ。
　病原体の侵入を察知した免疫システムはただちに反応し、病原体のもつたんぱく質にぴったり合う形の抗体（**上図**）をつくり出す。
　病原体に結びついた抗体は、侵入者の目印となり、他の免疫細胞が病原体を攻撃するために役立つ。

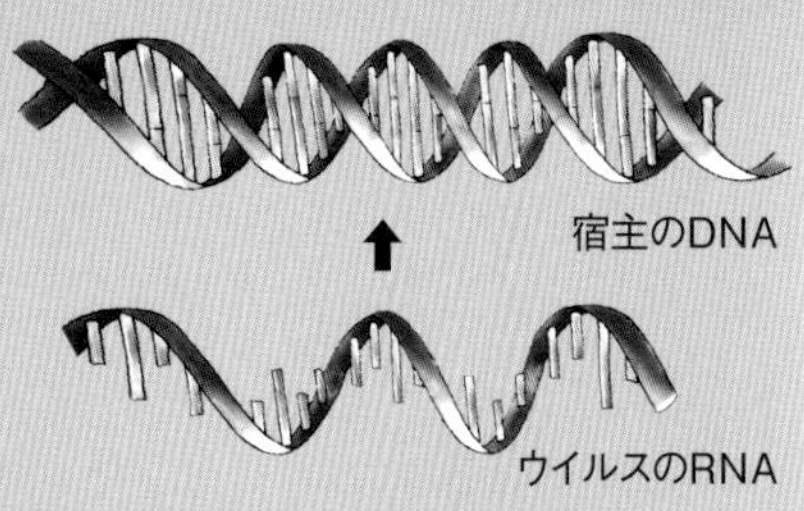
宿主のDNA
ウイルスのRNA

図3 ⬆レトロウイルスは、酵素を使って自身の遺伝情報をDNAとして複製し、それを宿主のDNAにはさみ込む。

⬇シンシチンは哺乳類の胎盤に不可欠なたんぱく質。その遺伝子はウイルスから供給され、より効率のよいものと幾度となく交換されてきた。▼は各動物が新たな遺伝子を得た時期。

資料／G. Cornelis et al., PNAS, vol. 112 (2015) E487

図4 シンシチンの系譜

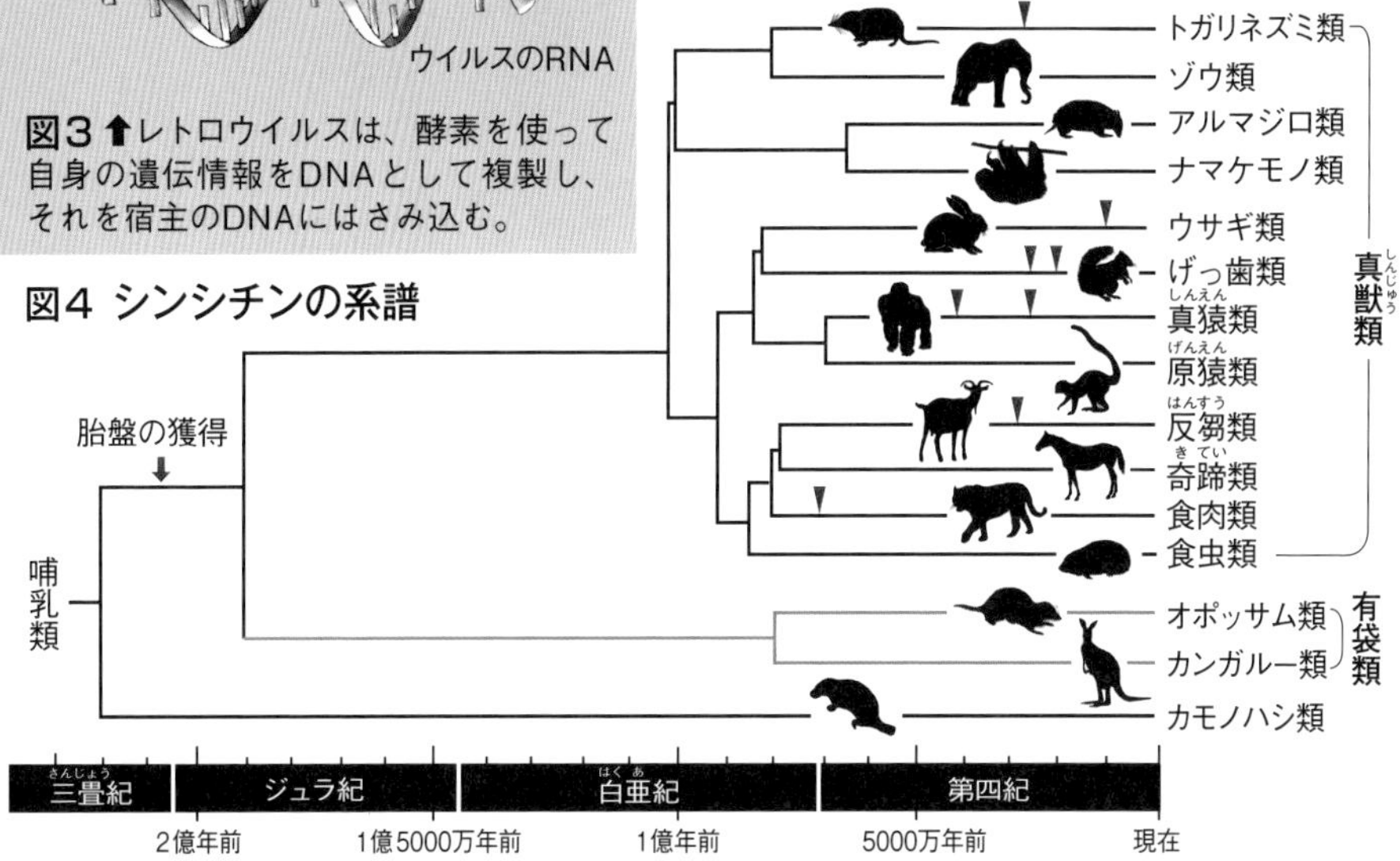
トガリネズミ類
ゾウ類
アルマジロ類
ナマケモノ類
ウサギ類
げっ歯類
真猿《しんえん》類
原猿《げんえん》類
反芻《はんすう》類
奇蹄《きてい》類
食肉類
食虫類
真獣《しんじゅう》類
オポッサム類
カンガルー類
有袋類
カモノハシ類
哺乳類
胎盤の獲得
三畳《さんじょう》紀
ジュラ紀
白亜《はくあ》紀
第四紀
2億年前
1億5000万年前
1億年前
5000万年前
現在

の生物（宿主）の細胞に入り込む。そして**細胞がもつ増殖システムを乗っ取って利用し、自身の部品を大量につくらせる**。それらが合体すると、ウイルスは宿主の細胞から抜け出し、さらに別の細胞へと次々に感染していく。これがウイルスの感染と増殖のしくみである（67ページ図2）。

　ところが、**宿主の細胞に入り込んだウイルスがそのまま細胞内に残ってしまう**ことがある。とりわけ「**レトロウイルス**」という種類のウイルスは自身の遺伝子を人間のDNAの間にはさみ込むため（**図3**）、そのようなことが起こりやすい。もしウイルスが精子《せいし》や卵子のような生殖《せいしょく》細胞に残ってしまうと、ウイルスはそのまま宿主の親から子へと引き継がれてしまう。恐竜が地球上を支配していた約1億7000万年前にそのような出来事が起こったらしい。

　当時生きていた原始的な哺乳類はおそらく、いまのカモノハシの仲間（単孔類《たんこう》）と同じように卵を産むか、有袋類《ゆうたい》のように非常に小さな未熟な子どもを産み育てていた。現在の多くの哺乳類のように胎児《たいじ》を体内で大きく育てるには制約があったためだ。それは、他者が体内に侵入したとき、それをただちに発見して排除しようとする免疫の存在だ。

　母親にとって胎児は自分の子ではあるが、他者（父親）

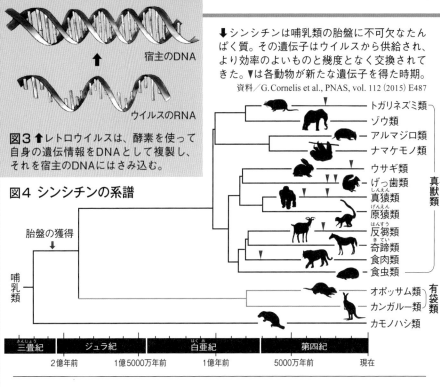

の遺伝子をもつ自己とは異なる存在でもある。そのため母親の免疫が胎児を攻撃《こうげき》する危険性がある。ところが哺乳類は、ウイルスを利用してこの壁を回避《かいひ》したらしい。**古代のウイルスがある動物に定着すると、その動物はウイルスの遺伝子を利用して胎盤《たいばん》をつくり出すようになった**のだ。

胎盤は母親が胎児《たいじ》に栄養を与え、逆に胎児から老廃物《ろうはいぶつ》を受け取る器官である。胎盤にあるうすい膜《まく》は非常に目が細かく、免疫細胞をいっさい通さない。そのため胎児が母親の免疫細胞と闘《たたか》う必要がない。だがこの膜をつくるには**「シンシチン」**というたんぱく質が不可欠である。そしてシンシチンをつくる遺伝子こそ、ウイルスが哺乳類に運び込んだものらしいのだ（**図4**）。現在では、カモノハシや有袋類以外の哺乳類は胎盤をもち、子宮内で胎児を育てる。**ウイルスはわれわれの進化を強力に後押ししたらしいのだ。**

人間のゲノムの半分近くがウイルスか

哺乳類では、胎盤の形成に関わるウイルス遺伝子がいくつも見つかっている。**効率のよりよいウイルス遺伝子を見つけると古い遺伝子と交換**したりする。また、陸上で生活する哺乳類の**皮膚《ひふ》が水分を適度に保つための遺伝子**も、哺乳類の**脳の記憶や認識に関する遺伝子**の一部も、ウイルスから得た可能性があるという。実際、**人間がもつゲノム（ＤＮＡ全体）の約10％はウイルス由来**のＤＮＡである。

生物のゲノムにはほかにもウイルスによく似た性質をもつものがある。「トランスポゾン（跳躍《ちょうやく》遺伝子）」と呼ばれる遺伝子だ。これはＤＮＡのある場所から別の場所へと“飛び移る”ことができる（もっともいまでは大部分は移動しない）。**トランスポゾンは人間のゲノムの40％も占めている**。そのすべてがウイルス由来ではないにしても、それを疑わせるトランスポゾンも少なくない。そしてウイルスに対抗する免疫のはたらきもまた、トランスポゾンから進化した可能性が指摘されている。

進化は無数の小さな変化の積み重ねで起こる――ダーウィン進化論はこう主張した。だが進化はもっとダイナミックに、ウイルスから新しい遺伝子を導入したりＤＮＡが組み変わったりして起こったのかもしれない。いま、世界中で多くの人間を殺しつづけている新型コロナウイルスも、いずれ人間のゲノムに新しい遺伝子として組み込まれるかもしれない。ウイルスが生物を進化させるしくみは見えはじめたばかりである。■

アフリカのイブ仮説

20万年前のアフリカの女性が全人類の母？

だれも彼も血縁関係？

世界的な大金持ちであるアメリカの投資家**ウォーレン・バフェット**は一時期、アメリカ元大統領**バラク・オバマ**の経済顧問《こもん》を務めた。彼らは外見も生い立ちもまったく異なるが、意外なつながりをもっている。2人とも1650年代にアメリカに移住したあるフランス人を共通祖先としてもつというのだ。

冠婚葬祭《かんこんそうさい》の際などに知人が自分の親戚だとはじめて知るといった経験はそれほどめずらしいことではない。だれでも家系図を数代さかのぼるだけで、自分が非常に多くの見ず知らずの人々と血縁《けつえん》関係にあることがわかる。では、**人間どうしのこうした血縁関係は地球規模でも認められるのか？**　この疑問を追求したのが、ニュージーランド出身の生化学者**アラン・ウィルソン**らだ。

彼らは家系図をたどる代わりに、人体をつくる細胞の内部にある「**ミトコンドリア**」という微細《びさい》な器官に注目した。膜《まく》に包まれたこの小器官は、人間の細胞1個ごとに数百個も含まれている。その役割は、酸素を使って栄養素からエネルギーを取り出し、ある種の分子に貯め込むことだ。つまりミトコンドリアは人体の〝**エネルギー生産貯蔵工場**〟である。

ミトコンドリアの特徴は、細胞本体の遺伝子群とは別に、自分の内部に遺伝子（DNA）をもつことだ（72ページ**図2**）。ところがミトコンドリアのDNAは、細胞の遺伝子群とは違って傷ついたときの修復が得意ではなく、変異《へんい》を起こしやすい。そこでウィルソンらは、**ミトコンドリアDNA**をある種の〝時計〟★1として利用できないかと考えた。このDNAは世代を重ねるにつれ、変化していくと考えたのだ。

用語解説

★1
分子時計のこと。生物が広く利用する生体分子は、種によって少しずつ異なる。この違いを、時間とともに分子の変異が蓄積されるためとみると、複数の種の系統関係やそれらが分岐した時期を見積もることができる。

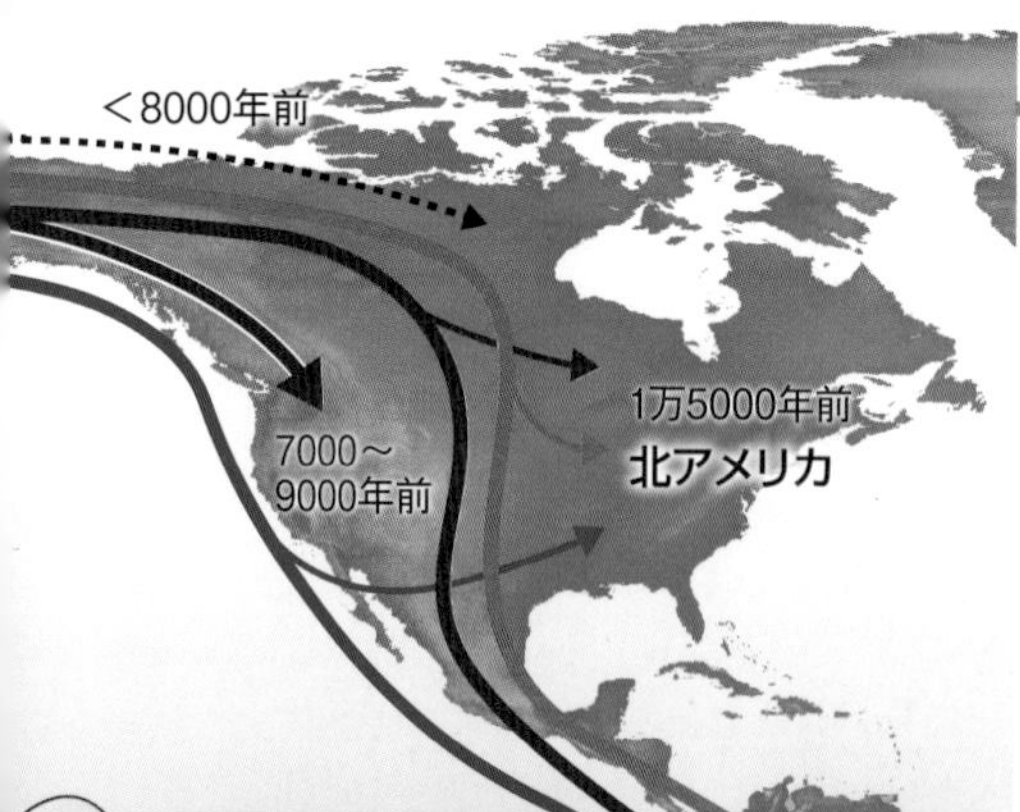

<8000年前
7000〜
9000年前
1万5000年前
北アメリカ
南アメリカ

⬅われわれの祖先はどこで生まれ、どのように世界全体に広がったのか？約20万年前に誕生したホモ・サピエンスは、数万年前にはアジアや日本列島に達し、1万5000年前頃にはアジアと地続きだったアメリカにも到達していたらしい。

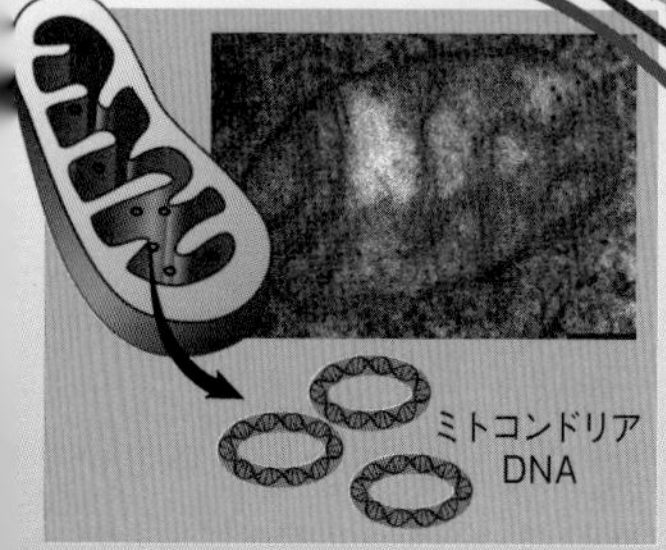

ミトコンドリア
DNA

図2⬆細胞の“エネルギー生産装置”ミトコンドリア。リング状のDNAをもつ。

都合のよいことに**ミトコンドリアは母親からしか子に受けつがれず**、受精《じゅせい》時に混ぜられることがない。というのも精子のミトコンドリアは受精時に失われるためだ。そこで、たとえばある2人の**ミトコンドリアDNAを調べたとき、違いが大きければ大きいほど母方の血縁関係は遠い**ことになる。

1987年、ウィルソンらはさまざまな人種・民族147人のミトコンドリアDNAを調べた。これらの結果について差異の小さな人種どうしは近くに、大きい人種どうしは遠くなるように配置した。するとそこに大きな**系統樹**《けいとうじゅ》が現れた。

興味深いことに、アフリカ人どうしの間では、他の人種・民族の間より差異が大きかった。これはアフリカ人がより早い時代に出現したことを示唆《しさ》する。さらに系統樹の枝は、アフリカから離れるほど遅れて分岐したことを示していた。

ウィルソンらは、これは**いまの人類（ホモ・サピエンス）がアフリカで誕生し、地球上に広がった証拠**だと考えた。系統樹の枝は人類がアフリカから広がっていった道筋を示していると見たのである（**図1**）。

そしてこの系統樹を数千世代前までさかのぼると、**われわれ現生人類のすべての〝母〟となった女性たちがアフリカで生きていた**ことになるという。約20万年前のアフリカで生きて子孫を残した女性たちは〝**アフリカのイブ**〟と呼ばれるようになった（ウィルソン自身はこの呼称を嫌ったらしいが）。

われわれの祖先はアフリカで生まれた

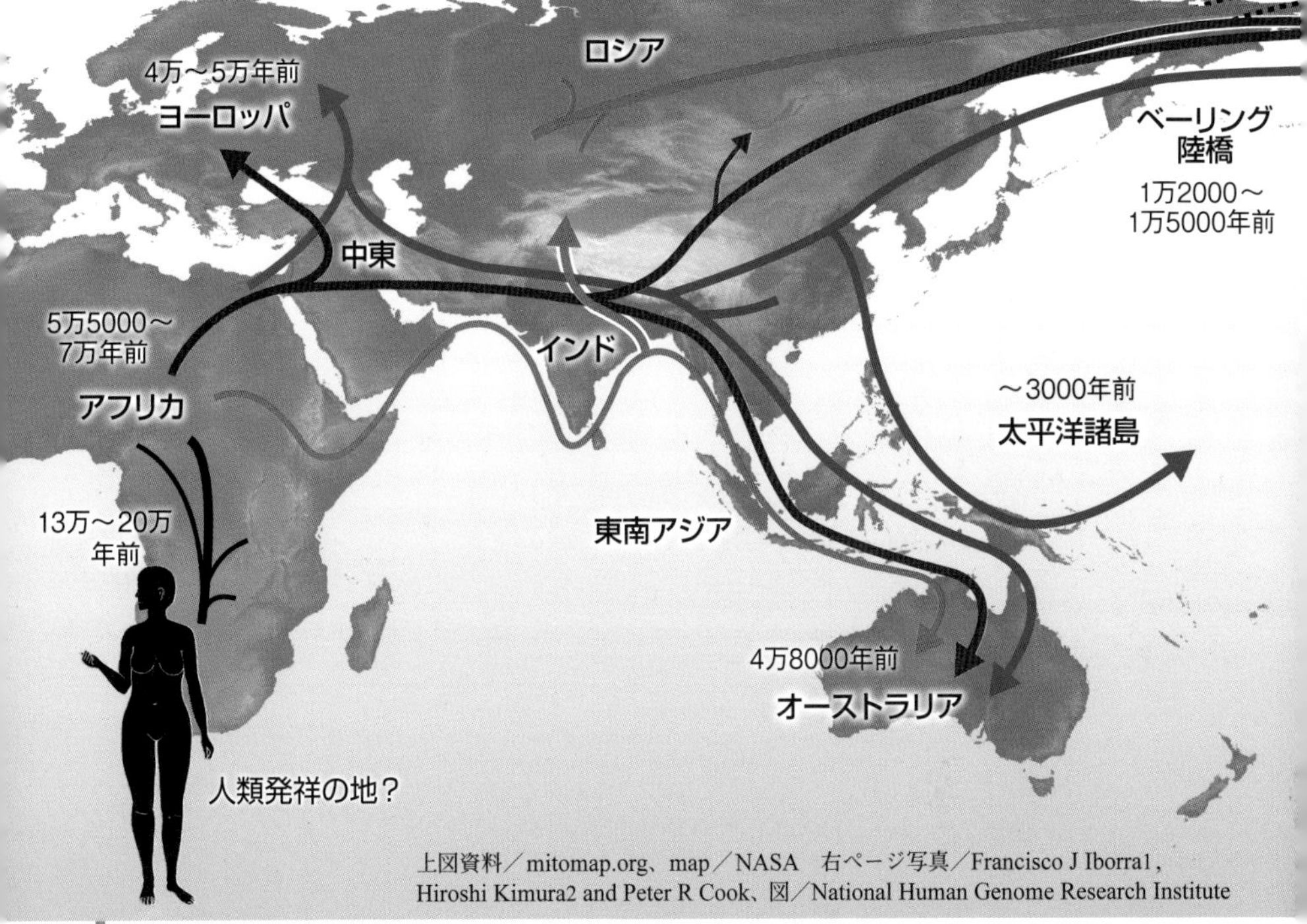
～2万年前
ロシア
4万～5万年前
ヨーロッパ
ベーリング
陸橋
1万2000～
1万5000年前
中東
5万5000～
7万年前
インド
アフリカ
～3000年前
太平洋諸島
13万～20万
年前
東南アジア
4万8000年前
オーストラリア
人類発祥の地？

図1　人類の拡散ルート（ミトコンドリアによる解析）

上図資料／mitomap.org、map／NASA　右ページ写真／Francisco J Iborra1, Hiroshi Kimura2 and Peter R Cook、図／National Human Genome Research Institute

人類の遠い祖先がアフリカの地で2足歩行を行って類人《るい》《じん》猿《えん》から分かれ、さらに道具を使う人間となったのは600万～700万年前とされている。200万年前になるとアフリカでは**ホモ・エレクトゥス**（原人）が誕生して繁栄《はんえい》し、一部はアフリカを出てヨーロッパやアジアにも広がった。そのためかつては、現生人類（ホモ・サピエンス）はホモ・エレクトゥスが各地でそれぞれに進化したものとする見方も強かった。この場合、人類の共通祖先は100万～200万年前のアフリカ人ということになる。

これに対してウィルソンは、われわれはたがいにずっと近縁であり、わずか20万年ほどさかのぼれば共通祖先にたどり着くと主張したのだ。

当初彼らの説は、調査対象が少なく、しかもアフリカ在住のアフリカ人ではなくアフリカ系アメリカ人を調べたことが批判された。さらにミトコンドリアDNAが本当に生物進化の流れを示すものかも疑問視された。だがその後、ミトコンドリアDNAも含む遺伝子や男性のY染色体の研究、類人猿との比較、化石の解析などが行われ、いずれの結果もウィルソンの仮説の大筋を裏づけた。われわれはだれもが〝アフリカのイブ〟の子孫らしいのだ。■

生命起源「パンスペルミア説」

地球生命の〝タネ〟は宇宙から飛来した

宇宙を漂う生命の胞子

われわれ人間をはじめとする**地球生命はもともと地球で生まれたのではなく、その起源は宇宙にある**――これが「**パンスペルミア説**」である。

生命の起源については昔からさまざまな説が唱えられてきた。どろどろのスープ状の無機物の中で有機物（炭素を含む化合物）が生じ、それが化学反応を経て生命の原材料になった（**化学進化説**）、粘土の表面でアミノ酸ができて生命物質になった（**粘土《ねんど》鋳型《いがた》説**）等々である。

だが1903年にスウェーデンの化学者**スバンテ・アレニウス**（**図1**）が提唱した新しい見方は、地球生命の起源を宇宙に求めていた。彼はその著書『発達過程の宇宙』の

図1➡「生命の"胚種"は宇宙から飛来した」と主張したノーベル賞学者アレニウス。

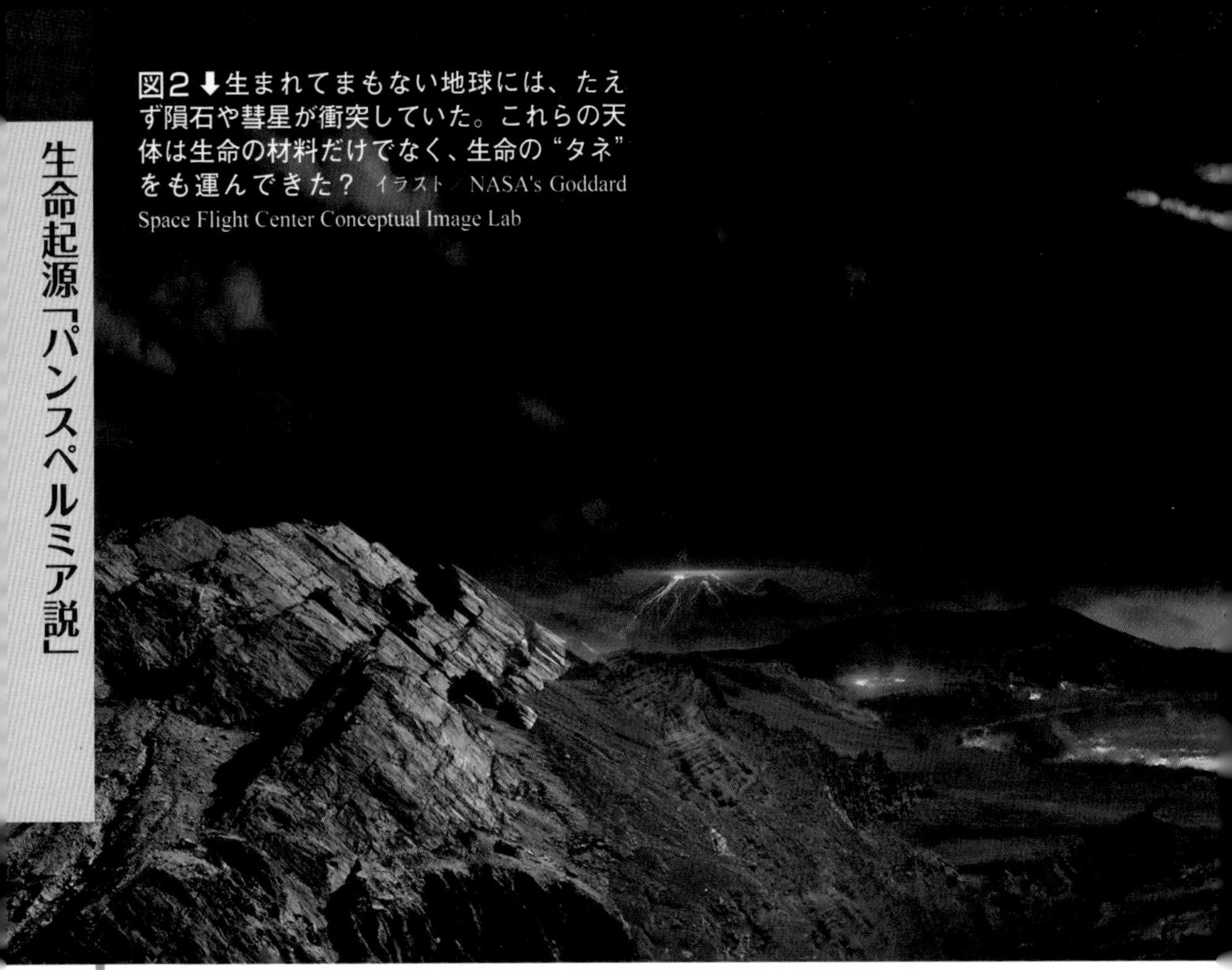

図2 ⬇生まれてまもない地球には、たえず隕石や彗星が衝突していた。これらの天体は生命の材料だけでなく、生命の“タネ”をも運んできた？ イラスト／NASA's Goddard Space Flight Center Conceptual Image Lab

中で、地球に出現した最初の生命はこの地球で生まれたのではないであろう、と論じた。彼によれば、われわれが生きているこの銀河（銀河系）の他の星々をまわるどこかの惑星で微小な〝**生命の胚種**《はいしゅ》〟つまり原初のタネとなる物質が生まれ、それは**宇宙空間を目に見えない小さなタンポポの胞子**《ほうし》**のように漂って地球にも飛来**し、そこに根を下ろした。すべての地球生物はそこから進化し発展したというのである。

アレニウスは、この微小な胞子は最初、誕生の地である惑星の大気圏《けん》上層部に浮遊《ふゆう》していたと考えた。その胞子はあるとき、その星系の中心星（**恒星**《こうせい》。われわれの太陽にあたる）が放射する光の圧力によって惑星の重力圏から押し出され、宇宙を漂いはじめた。それらは**恒星間宇宙**の極低温や真空状態に耐えて生命を保ちつづけ、長い年月を旅して地球に漂着した。もちろんこれは太陽系以外の無数の星系にも到達しただろう——彼は自らこの説に「**パンスペルミア説（宇宙胚種頒布**《はいしゅはんぷ》**説）**」と名づけた。

この説は当初、生物学者たちの強い関心を引いたものの、科学的に検証するすべがない。結局生物学者たちは、前述したような古い時代からのいくつかの生命発生説を今風に

図3 粘土鋳型説

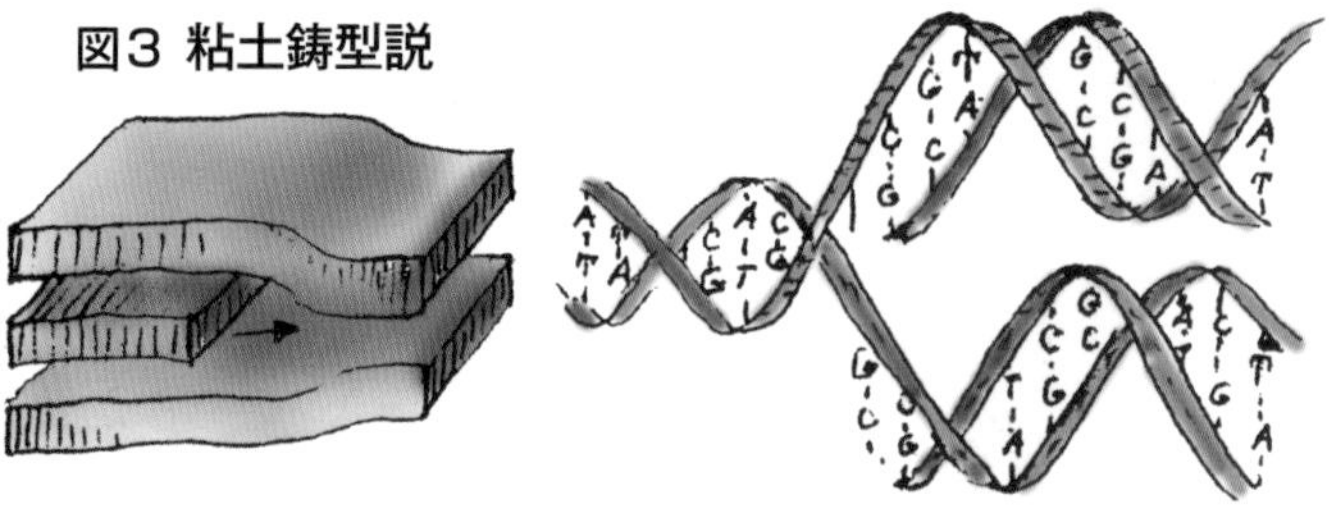

⬅粘土結晶は自身を複製しながら成長する。この結晶を鋳型として成長した分子が複製システムを乗っ取った？　資料／M. D.Nussinov et al.

修正する方向へと戻ってしまった。その結果提唱されたのはほとんど、古い器に新しい生命科学の知識を盛り合わせたいわば**改訂版の粘土鋳型説**（図3）や「**RNAワールド説**」（78ページ参照）等々であった。だがどの仮説からもいまだいちどとして実際に生命が発生したことはない。

高名な科学者のお好みの理論？

20世紀半ばになると、今度は高名な科学者たちがパンスペルミア説にふたたび注目するようになった。とりわけ1978年に、ビッグバン宇宙論（別項）の命名者で自らは「定常宇宙論」（27ページコラム）を主張したイギリスの**フレッド・ホイル**と、インド出身の世界的物理学者**チャンドラ・ウィクラマシンハ**がこの説を主張すると、彼らの名声のおかげもあり、パンスペルミア説はメディアなどにも取り上げられるようになった。

とりわけフレッド・ホイルは後に古いパンスペルミア説を修正し、「**生命は彗星で発生**し、彗星が地球に衝突することによって地球生命の起源になった」と主張するようになった。

さらに、DNAの分子構造を明らかにしてノーベル賞を受賞した**フランシス・クリック**（**図4**）もパンスペルミア説を展開した。クリックはその著書『生命 この宇宙なるもの』（邦訳）の中で、「生命が地球上で発生したというのはほとんどありそうもないことだ」と述べた（だがそれはなかったことを意味しないとも）。そして、**原初の生命は**

図4 ⬆生命誕生の謎に果敢に取り組んだクリック。「高度文明が意図的に生命を宇宙空間に送り出した」とする説を提唱した。
撮影／Heinz Horeis／矢沢サイエンスオフィス

地球外の高度文明のメッセージとして無人宇宙船のようなもので運ばれて地球に送られてきたと推論した。なぜなら、生命の胞子が宇宙放射線にさらされて何光年もの距離を生きつづけることはありそうもないからというのだった。

同じパンスペルミア説の支持者ながら前出のホイルとウィクラマシンハはクリックのこの主張には反対した。理由は、宇宙空間を移動する生命の胞子に人工的乗り物などは不要だからというのだ。そしてこう解説した。

「**遺伝子は宇宙起源と見ることができる。**遺伝子はＤＮＡまたはＲＮＡの形で完全に一人前の細胞（**ウイルス**や**ウイロイド**）として、または単なる遺伝物質の断片として地球に飛来した。これらの遺伝子は地球に（偶然に）到着したら、ただちにその機能を発揮する用意ができていた」――ホイルらは、この宇宙で**新しく生まれる惑星はみな、その誕生初期に宇宙から〝ひとそろいの遺伝情報〟を受け取ることのできる状態にある**というのであった。

近年、宇宙空間や星間ガスの中で**有機物質**が見つかっているが、これはパンスペルミア説を後押しする観測結果かもしれない。

他方、彼らほど有名ではないふつうの生物学者たちはパンスペルミア説にはあまり触れたがらない。ひとつの理由は、そもそもこの説は**〝ひとそろいの遺伝情報〟がどこでどうやって生まれたかを説明していない**というのだ。そのため21世紀のいまも大半の進化生物学者は、身近な素材で理論化できそうなＲＮＡワールド説や「プロテインワールド説」に執心《しゅうしん》している。■

図5 ⬆ハッブル宇宙望遠鏡が赤外線でとらえた馬頭《ばとう》星雲。大量のガスやチリが存在し、生命の材料となり得るさまざまな有機分子も含まれているとみられる。
写真／NASA, ESA, and The Hubble Heritage Team (STScI/AURA)

生命起源の「RNAワールド説」

地球生命は化学進化で出現した？

DNAは全生物の遺伝子

地球にはあらゆる場所に生命が存在する。マイナス40℃の極寒の南極大陸、水深1万mのとほうもない水圧の深海底、400℃の強酸性の熱水が噴《ふ》き出す海底鉱床《こうしょう》――こうした過酷な環境にも、そこに適応して生きる生物がいる。

　これらの**生物はただひとつ、完全な共通点をそなえている**。「**遺伝子**《いでんし》」として「**DNA**」（**図1右**）を利用していることだ。DNAは鎖《くさり》のような長い分子で、生物のからだをつくる細胞ひとつひとつに含まれている。★1

　DNAをつくる基本物質は4種類しか存在しない。そしてこれらの基本物質の〝並び方〟が生物の設計図になっている。★2 個々の生物がもつこの設計図がコピー（複製）され、遺伝情報として親から子へと伝えられる。

　だが、このような地球生命はどのように誕生し、**いつからDNAを〝遺伝情報の伝達者〟（＝遺伝子）として利用するようになったのか？** 多くの研究者は、生命は地球上の物質が反応しあい、複雑な分子が生み出される過程で誕生したと見ている。こうした〝物質の進化〟は「**化学進化（分子進化）**」と呼ばれ、その研究のさきがけは20世紀半ばに行われた。

　1950年代、アメリカの**ハロルド・ユーリー**は、**原始地球では雷のような大気中の放電によって生命の材料となる分子（有機《ゆうき》分子）が生じた**と考えた。彼の教え子**スタンリー・ミラー**は、このアイディアをもとに地球初期の大気（原始大気）を模した気体中★3に放電し、実際にさまざまな有機分子が生じることを示した（**図2**）。

　実際、地球上では生命の材料物質がたえず生まれている。大気や地表、海水中の物質は、太陽光や放射線、火山活動のエネルギーを得てさまざまな反応をくり返す。こうして分子が化学進化し、ついにそこから最初の生命が出現したのかもしれない――

　だが、そのような化学進化がどこで起こったかはわからな

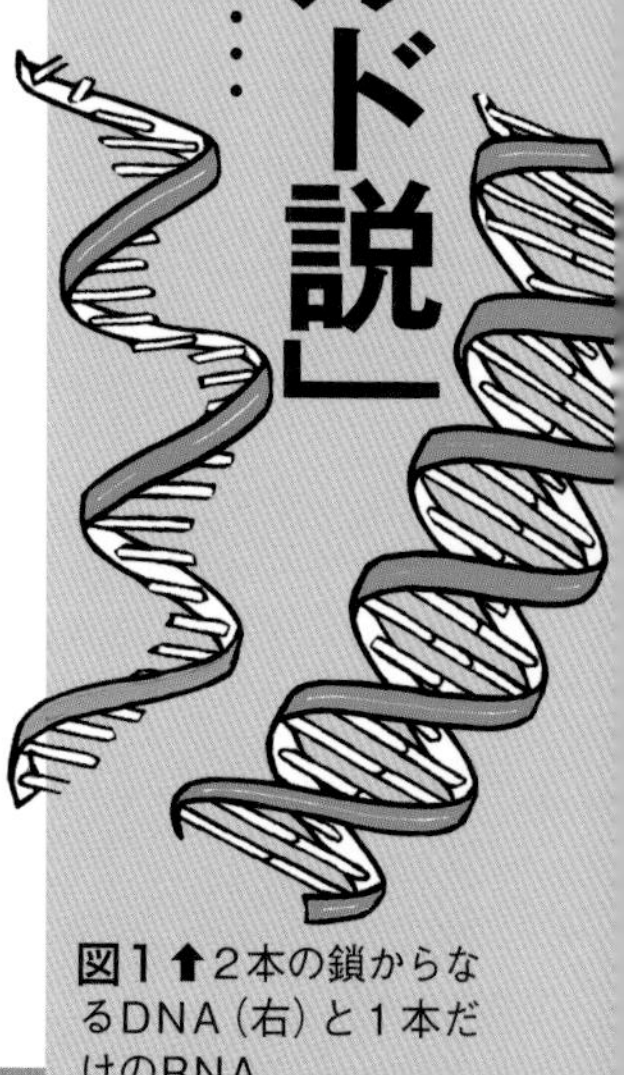

図1⬆2本の鎖からなるDNA（右）と1本だけのRNA。

生命起源の「RNAワールド説」

い。**粘土鉱物《ねんどこうぶつ》の上で複雑な分子ができた**とする説もあれば、**海底から噴出《ふんしゅつ》する熱水がその環境条件を提供した**とする見方もある。また、**地球に衝突《しょうとつ》した彗星《すいせい》や隕石《いんせき》が水と有機分子を持ち込み、そこに濃密な〝分子のスープ〟が生まれ、分子進化が始まった**とする説もある。

だが最大の疑問は、**DNAのような複雑な分子がどのようにして遺伝子の地位を得たか**である。DNAは〝自己複製する分子〟ではあるが、**自力で複製して増えることはできない**。**酵素《こうそ》(おもにたんぱく質)の助けが必要**なのだ。とすれば最初に生まれた生命体がはじめからDNAを遺伝子として利用するなどありそうにない。

図2
ミラーの実験

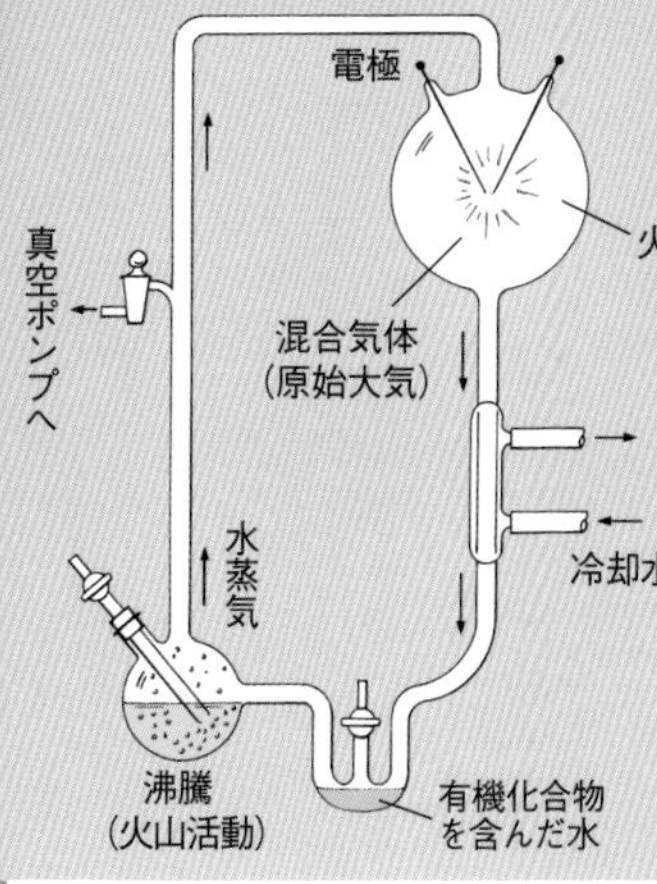
電極
真空ポンプへ
火花放電
(落雷)
混合気体
(原始大気)
冷却水
水蒸気
沸騰
(火山活動)
有機化合物
を含んだ水

⬅ミラーらは原始地球で生命体の材料が生じる可能性を示した。

登場した「RNAワールド」

そこで、この困難を回避する仮説が出された。それはノーベル賞科学者**フランシス・クリックやレスリー・オーゲル**などが提唱したもので、**最初の生命体はDNAではなくRNA(図1左)を主役としていた**というものだ。

RNAはDNAによく似た分子で、DNAの情報をコピーすることができる。またたんぱく質の材料を集めてそれらを連結するほか、酵素としてもはたらく。そこでクリックらは生命の誕生について次のように論じた。

かつて地球には有機分子を大量に含む〝原始スープ〟が存在した。あるときそこで偶然にも自身を複製できる分子が生まれた。この分子は他の分子と作用しながらくり返し自身のコピーを生み出したが、まもなく分子としてより安定性の高いRNAがこのシステムを乗っ取った。**「RNAワールド」**の出現である。だが化学進化が進むうちにRNAの役割はより効率の高い別の分子に受け渡された。つまり**酵素の役割はたんぱく質に、遺伝物質としての役割はDNAに移行した**――これが彼らの仮説だ。だが、その証拠を得るのはむずかしく、真実は依然として手の届かないところにある。■

用語解説

★1
赤血球を除く。なお人間のDNAの長さは約2mで、細胞内ではヒストンというたんぱく質に巻き付いている。

★2
建築物の設計図とは異なり、DNAの配列はたんぱく質の種類を指定するのみ。それらのたんぱく質のうちどれが生成されるかは細胞内の状態によって決まる。

★3
当時、原始大気の成分はアンモニアやメタンなどとみられていた。現在では、二酸化炭素などのより反応しにくい気体だったと考えられている。

宇宙文明を数える「ドレーク方程式」

7つの設問に答えられるか

数限りなく見つかる地球型惑星

われわれの小さな惑星・地球には、人類の文明すなわち地球文明が存在する。では地球以外で生命が誕生・進化して文明を発達させている天体はどのくらいあるのか？

宇宙には数千億の銀河が存在し、ひとつひとつの銀河は数千億個の**恒星《こうせい》**（**太陽のような星《スター》**）を含んでいる。そしておそらくそれらの星々の半分以上が、われわれの太陽系のようにいくつもの惑星（惑星系）を従えている（**図2**、**表1**）。

これらの数字をもとに計算すると、宇宙に存在する惑星は何千兆個をはるかに超える。にもかかわらず、生命や文明が存在する惑星が地球ひとつだけだなどと考えることは、どんな観点から見ても不合理でナンセンスである。宇宙には、生命（地球外生命）の存在する天体もまた膨大《ぼうだい》な数にのぼり、その中には生命が進化して**技術文明を発達させている惑星**もたくさん存在すると考えるのが自然かつ論理的、そして妥当であろう。もし生命も文明も地球にしか存在しないとしたら、いったいこの広大無辺の宇宙で地球に何が起こったのかという疑問に、だれも答えることができなくなる。科学的に見るなら、自然界ではいちどあることは2度あり3度あることが〝ルール〟となっているからだ。

だがこれまでに、さまざまな「**地球外文明探査計画**」（地球外探査の英語を略して〝SETI《セティ》〟と呼ばれる）が実行

図1 ⬆2020年に発見されたケプラー1649c（上）は地球にそっくり。距離300光年。画像／NASA/Ames Research Center/Daniel Rutter

図2 発見された惑星系の例

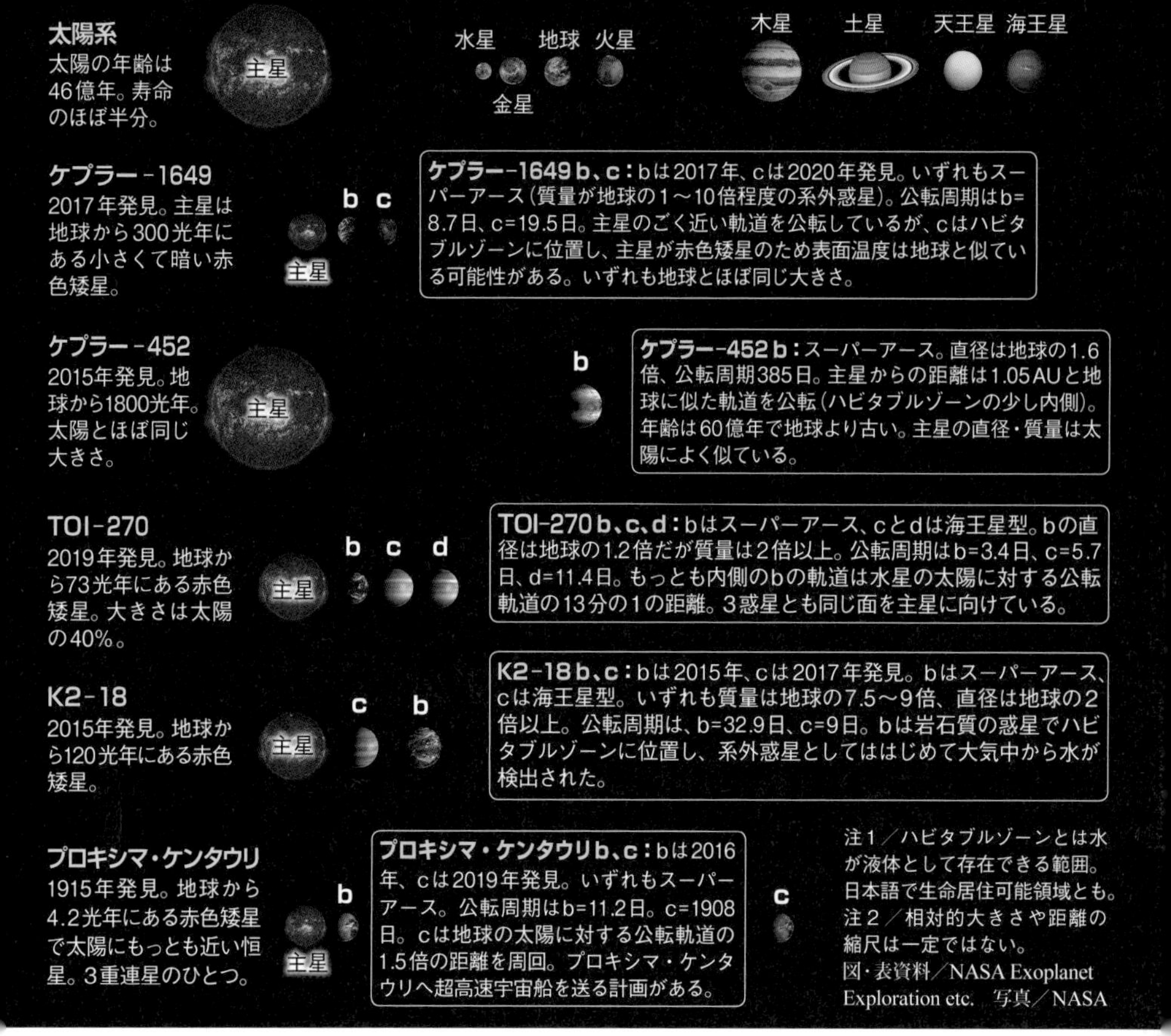
太陽系
太陽の年齢は46億年。寿命のほぼ半分。
主星
水星
金星
地球
火星
木星
土星
天王星
海王星
ケプラー-1649
2017年発見。主星は地球から300光年にある小さくて暗い赤色矮星。
主星
b
c
ケプラー-1649b、c：bは2017年、cは2020年発見。いずれもスーパーアース（質量が地球の1～10倍程度の系外惑星）。公転周期はb=8.7日、c=19.5日。主星のごく近い軌道を公転しているが、cはハビタブルゾーンに位置し、主星が赤色矮星のため表面温度は地球と似ている可能性がある。いずれも地球とほぼ同じ大きさ。
ケプラー-452
2015年発見。地球から1800光年。太陽とほぼ同じ大きさ。
主星
b
ケプラー-452b：スーパーアース。直径は地球の1.6倍、公転周期385日。主星からの距離は1.05AUと地球に似た軌道を公転（ハビタブルゾーンの少し内側）。年齢は60億年で地球より古い。主星の直径・質量は太陽によく似ている。
TOI-270
2019年発見。地球から73光年にある赤色矮星。大きさは太陽の40%。
主星
b
c
d
TOI-270b、c、d：bはスーパーアース、cとdは海王星型。bの直径は地球の1.2倍だが質量は2倍以上。公転周期はb=3.4日、c=5.7日、d=11.4日。もっとも内側のbの軌道は水星の太陽に対する公転軌道の13分の1の距離。3惑星とも同じ面を主星に向けている。
K2-18
2015年発見。地球から120光年にある赤色矮星。
主星
c
b
K2-18b、c：bは2015年、cは2017年発見。bはスーパーアース、cは海王星型。いずれも質量は地球の7.5～9倍、直径は地球の2倍以上。公転周期は、b=32.9日、c=9日。bは岩石質の惑星でハビタブルゾーンに位置し、系外惑星としてははじめて大気中から水が検出された。
プロキシマ・ケンタウリ
1915年発見。地球から4.2光年にある赤色矮星で太陽にもっとも近い恒星。3重連星のひとつ。
主星
b
c
プロキシマ・ケンタウリb、c：bは2016年、cは2019年発見。いずれもスーパーアース。公転周期はb=11.2日。c=1908日。cは地球の太陽に対する公転軌道の1.5倍の距離を周回。プロキシマ・ケンタウリへ超高速宇宙船を送る計画がある。

注1／ハビタブルゾーンとは水が液体として存在できる範囲。日本語で生命居住可能領域とも。
注2／相対的大きさや距離の縮尺は一定ではない。
図・表資料／NASA Exoplanet Exploration etc.　写真／NASA

されたものの、地球外生命や地球外文明の存在が確認されたことはいちどもない。

宇宙はあまりに広く、太陽のとなりの星**アルファ・ケンタウリ**（ケンタウルス座アルファ星）までさえ光の速さで4年半もかかる。われわれの銀河系の中の星々は何百光年、何千光年、何万光年のかなたにある。まして**アンドロメダ銀河**の星々までは光速で何百万年もかかり、そのむこうの銀河までは光速で何千万年、何億年もかかる——いったいどうすれば地球外文明の存在やその数を知ることができるのか？

この疑問はすでに20世紀前半にイタリア出身の高名な物理学者**エンリコ・フェルミ**らによっ

表1 確認された太陽系外惑星の数

2020年8月現在

海王星型	1405
巨大ガス惑星型	1332
スーパーアース	1297
岩石惑星型	161
不明	6
合　計	4201

て発せられていた。彼はこの問題を問う「**フェルミ・パラドックス**★1」を残してもいるが、それは宇宙文明についての抽象的疑問の範囲を出てはいなかった。

そして1960年、**オズマ計画**の名の下に世界ではじめて地球外文明の探査計画に着手した科学者が現れた。アメリカ、コーネル大学の天文学者**フランク・ドレーク**（**図3**）である。

ドレーク方程式で数える宇宙文明

図3 ←世界初の宇宙文明探査を実行したフランク・ドレーク。ドレーク方程式の提案でも知られる。写真／Amalex5

ドレークはその翌1961年になると、後に非常に有名になる方程式を発表した。それはわれわれの銀河系だけを対象に、**電波で交信できるほどの技術文明を発達させている〝知的生命の数〟**を計算するもので、「**ドレーク方程式**」（**図4**）と呼ばれた。

ドレークが**電波交信技術を文明の基準とした**のは、この技術がなければ、他の惑星の技術文明とメッセージをやりとりしたり自らの存在を他の惑星の技術文明に知らしめることができないからだ。たとえ生命が存在しても、それがいまの地球の微生物や魚類や爬《は》虫類ほどの進化段階なら遠方との交信は不可能である。

では前記の方程式はどうやって地球外文明の数を計算するのか。それにはまずさきほどの方程式の意味——読者にもすぐわかる——を知る必要がある。

最初の2～3項目は天体物理のファクター（要素、因子）だが、それ以降のファクターは生物、有機化学、生化学、神経生理などの分野に関係している。そして f_c は**手がかりがなにもないオープンクエスチョン**で、経験的に見当をつける以外、だれにも答えられそうにない。この方程式のファクターは、後ろにいくほど科学的実証性が低下しているように見える。

だがこのドレーク方程式が登場してから半世紀以上が過ぎたいま、一部のファクターにはかなり実証的なヒントが生まれてきている。たとえば近年の推定では、われわれの銀河系で毎年生まれる恒星は10個以上（$R_* = 10$）である。

用語解説

★1 フェルミ・パラドックス
地球外文明が存在する可能性は高いが、ではなぜ地球側にそうした文明と接触した証拠が見つからないのか——これは根本的矛盾だとするフェルミの言説。

図4 ドレーク方程式

$$N = R_{*} f_p n_e f_l f_i f_c L$$

N	推定しようとしている宇宙文明の数（ナンバー）。これを導くにはその後ろに続く7つの要素（ファクター）をかけ合わせればよい。
R_{*}	銀河系で1年に生まれる星（恒星）の数
f_p	星がわれわれの太陽のように惑星系をもつ確率
n_e	惑星系のうち生命の存在を許す惑星の数
f_l	惑星の中で生命が発生する惑星の確率
f_i	生命が知的生命体に進化する確率
f_c	知的生命体が恒星間の電波交信技術を発展させる確率
L	技術文明の寿命

←↑宇宙文明の数を推定する「ドレーク方程式」。近年では惑星の数に関する情報などの精度がいちじるしく向上している。

次の、これらの恒星のうち惑星系をもつものの割合はドレークの時代の推測よりはるかに高まり、いまでは誕生時の恒星が惑星系をもつのはごくふつうとみられている。つまり**fp＞0.5**（50％以上）である。

問題はそれ以降だ。3番目の生命存在を許す**地球型惑星**はその母星（中心星、主星）の質量に大きく左右される。母星の質量が大きすぎても小さすぎても条件から外れる。

文明はいつどうやって滅びるか？

第4のファクターについては、生命は必ず発生すると思うならf_l＝1（100％）、確率を1％と考えるなら0・01（1％）となる。こうして各ファクターに数字を当てていく。

だが最後のL、すなわち文明の寿命には〝未来学者〟か預言者でもなければ答えられない。人間が築いた技術文明はまだ1世紀あまりでしかなく、いつ滅びるかはだれにも答えられない。もしこのファクターを現在の地球文明にあてはめて推測するなら、文明の寿命を決める原因は次のようなものだろうか。①**全面核戦争や病原ウイルスの蔓延《まんえん》**で文明が滅びる、②**環境変動**で文明が滅びる、③種としての**ホモサピエンス（人間）**が生物的に衰退する、

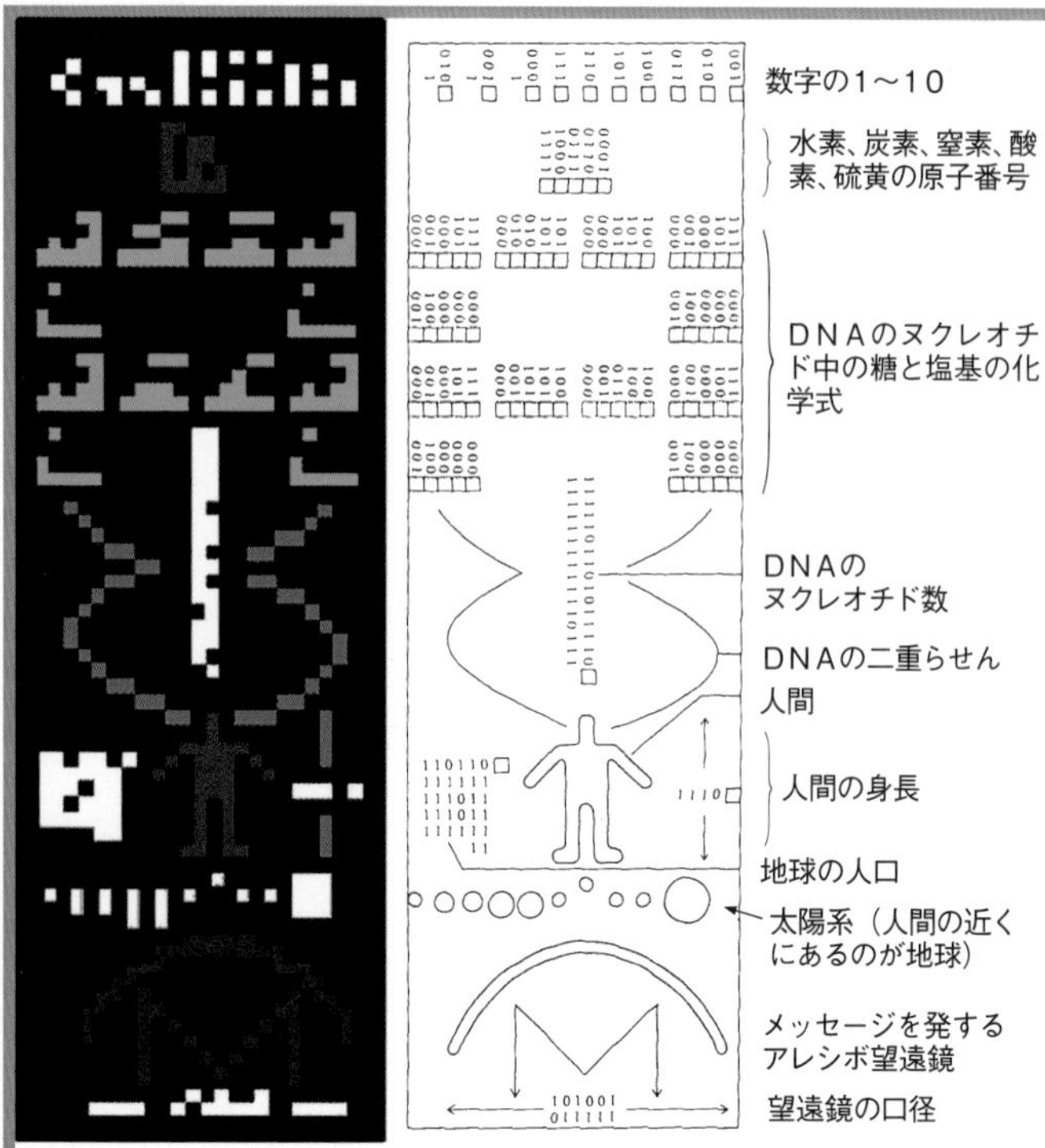
数字の1～10
水素、炭素、窒素、酸素、硫黄の原子番号
DNAのヌクレオチド中の糖と塩基の化学式
DNAのヌクレオチド数
DNAの二重らせん
人間
人間の身長
地球の人口
太陽系（人間の近くにあるのが地球）
メッセージを発するアレシボ望遠鏡
望遠鏡の口径

図5 ⬅1974年にアメリカのアレシボ電波望遠鏡からヘラクレス座球状星団M13に向けて送信されたこのメッセージは、地球と人類についての基本情報を含んでいた。図／左・Frank Drake (UCSC) et al., Arecibo Observatory (Cornell, NAIC) 右資料・F. Drake, C. Sagan

④巨大な小惑星か彗星が地球に衝突し、（過去に何度も起こったように）**生物大絶滅**が起こる……

ちなみに、人類が近い将来**火星**に移住し、そこで新たな生命圏をつくって生きるようになるとしたら（すでにその序章は始まっている）、**地球文明とは別に新たな文明（火星文明）**が始まることになり、前記の事例はどれも外れることになる。

1960年代、アメリカの天文学者**カール・セーガン**や当時のソ連（現ロシア）の**ヨゼフ・シュクロフスキー**はドレーク方程式にそれぞれ数値をあてはめ、「銀河系には100万の文明が存在するだろう」と予測した。しかしシュクロフスキーは1985年に死去する直前には大規模な核戦争が必ず起こると確信するようになり、この数値を極端なまで引き下げた。

科学者の中にはそもそも生命は全宇宙で地球にしか存在しないと考える者（科学者でありながら唯一神教の信者）や、アメリカの**フランク・ティプラー**のように、仮に高度に進歩した文明が存在するなら**自己複製型ロボット**を宇宙いたるところに送り出すようになるので技術文明は宇宙全域に広がるはずだが、現在地球に到達していないのは生命が知性を発達させるのは困難なためだと議論する科学者もいる。この方程式は読者自らの知識と想像力で解いてみるのがよさそうである。■

第3部

数学の理論・定理・公式

図／十里木トラリ

ピタゴラスの定理

古代ギリシアの秘密結社の「三平方の定理」

オリエント統一を目撃したピタゴラス

数は〝もの〟を数えることから始まった。はるか昔、人間が狩りをして生きていた時代には、人々は木の実や獲物《えもの》、狩猟《しゅりょう》の道具などを数えて、それらの量を把握《はあく》した。その後、農耕が発達して人々が土地や家財などをもつようになると、隣人《りんじん》どうしで土地の境界線を測ったりだれかと物々交換をするときに数は不可欠となった。まず〝もの〟があり、ものの量や大きさを知るために数が必要とされたのだ。

そしていまから2500年ほど前、**数を〝もの〟から引き離して純粋な〝数の世界〟を考える**人間が現れた。古代ギリシアの**ピタゴラス**だ（**図2**）。

ピタゴラスは紀元前569年、ギリシアの植民地イオニ

写真／D.Cunego

図2 ⬅ギリシア随一の数学者ピタゴラス。豆を神聖視し、戦時に豆畑をまわり道したために殺されたとの伝説もある。

イオニア
黒海
カスピ海
メディア
サモス島
地中海
バビロニア
アレクサンドリア
エジプト
紅海
ペルシア湾

図1 古代ギリシア

⬆サモス島で商人の息子として生まれたピタゴラスは、ギリシアのほかエジプトやバビロニアでも数学や天文学を学んだ後、イタリア南部で数学の学校を開いた。

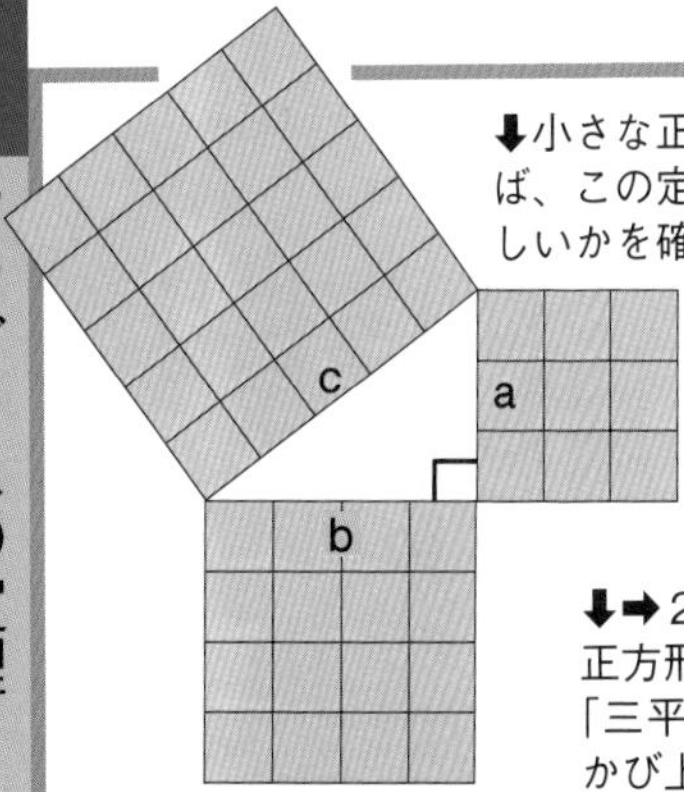

⬇小さな正方形を数えれば、この定理が本当に正しいかを確認できる。

⬇➡2つの同一面積の正方形をよく眺めると「三平方の定理」が浮かび上がる。

図3 三平方の定理

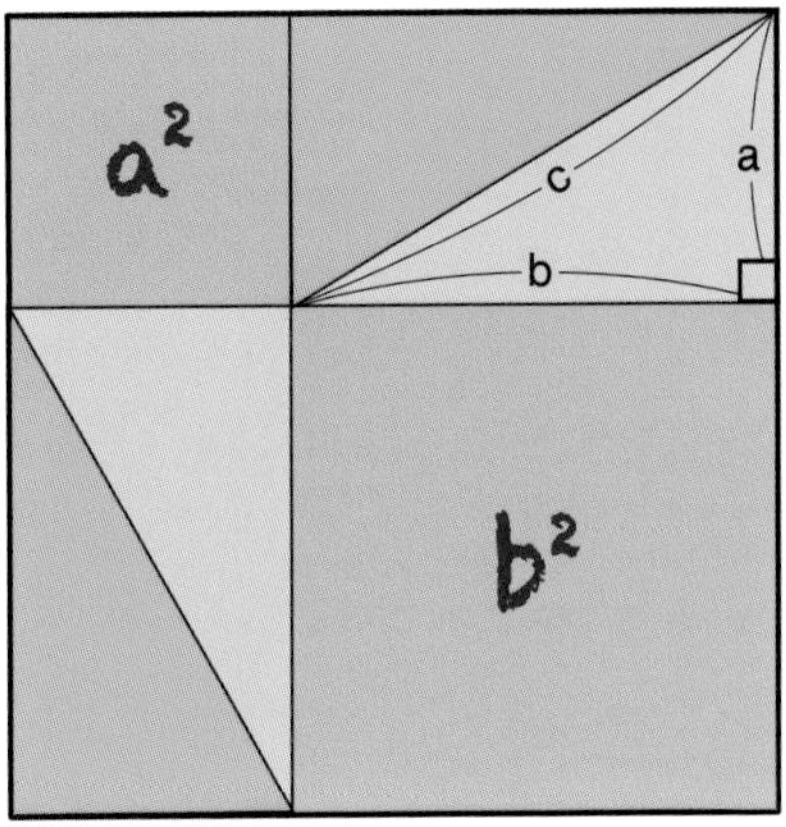

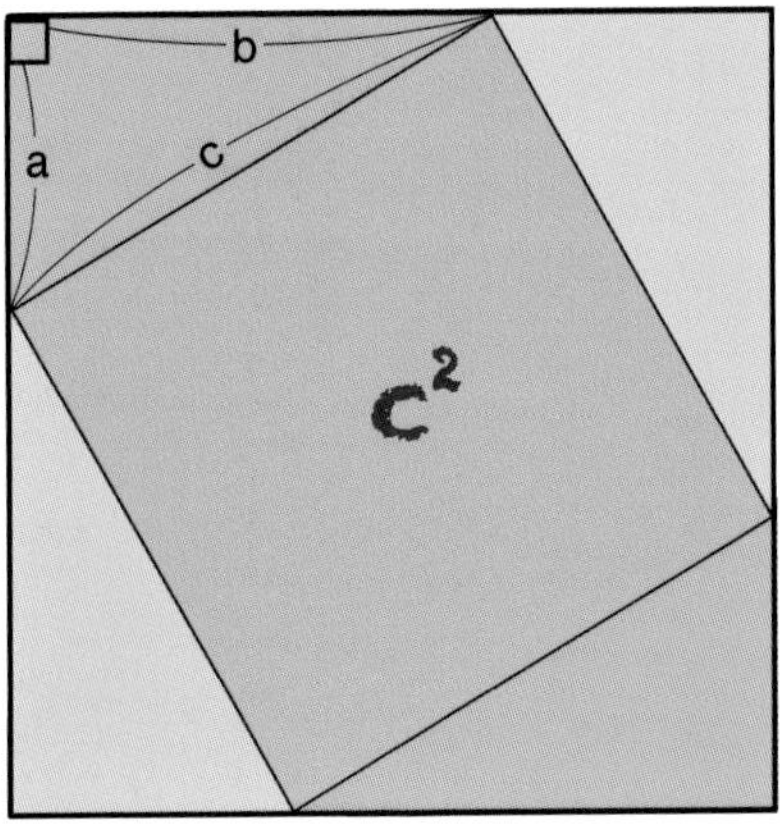

アのサモス島（**図1**）で生まれたといわれる。彼は幼少時から商人の父親につれられて各地をめぐり、長じては同じイオニアの哲学者**タレース**に学び、さらにエジプトで学問を続けた。しかしそこにとどまることはできなかった。

紀元前525年、**ペルシア軍がエジプトを滅ぼして古代オリエントを統一**[★1]したとき、ピタゴラスもまたこの歴史的事件に巻き込まれた。王の庇護《ひご》を受けていた彼は捕らえられ、虜囚《りょしゅう》としてバビロニアに送られた。だが彼は気落ちするどころか、これを機にバビロニア人から数学や音楽、天文学を学んだ。

数年後に解放されてサモスに戻ったものの、そこでは彼の知識は見向きもされなかった。彼は怒りと落胆のうちサモスを去り、イタリア南部で数学の学校を開き、生徒のなかでもすぐれた若者を集めて「**ピタゴラス教団**」なる結社をつくった。戒律《かいりつ》の厳しいこの密教集団は財産を共有する原始共産制で、肉食を禁じ、豆を神聖視していっさい口にしなかった。

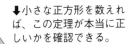

ピタゴラス教団は「**整数**」を信奉した。整数とはものを数えるのに使う数であり、0から始めて数に1を順に足すか引くかして生まれる。彼らは、整数は宇宙の基礎をなし、神秘性をそなえていると考えた。

ピタゴラスのいう神秘性の例には「**3角数**」「**完全数**」などがある。3角数とは、たとえば点やボールを

図4　3角数

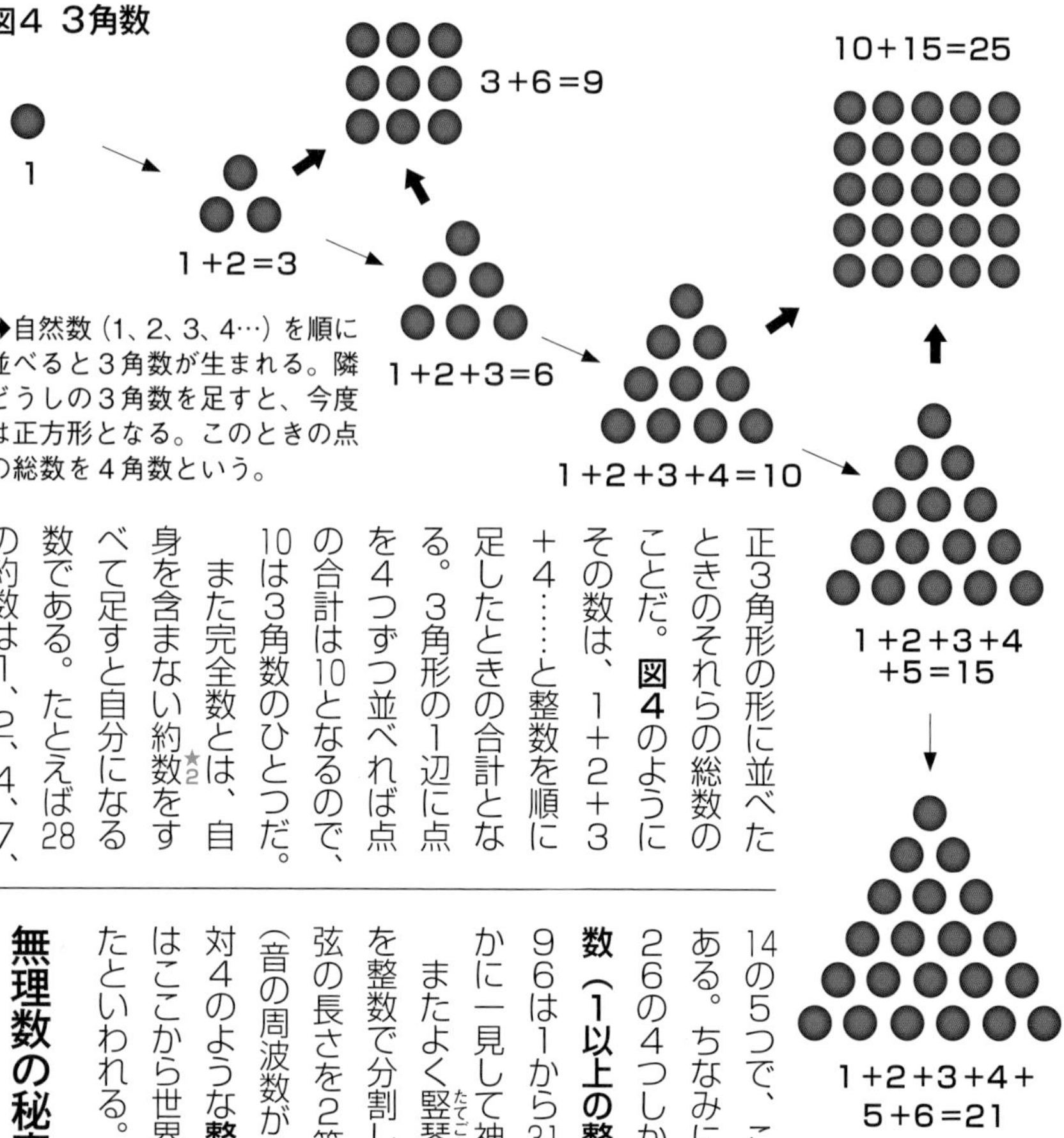
1
1+2=3
3+6=9
1+2+3=6
1+2+3+4=10
10+15=25
1+2+3+4
+5=15
1+2+3+4+
5+6=21

➡自然数（1、2、3、4…）を順に並べると3角数が生まれる。隣どうしの3角数を足すと、今度は正方形となる。このときの点の総数を4角数という。

正3角形の形に並べたときのそれらの総数のことだ。**図4**のようにその数は、1+2+3+4……と整数を順に足したときの合計となる。3角形の1辺に点を4つずつ並べれば点の合計は10となるので、10は3角数のひとつだ。

　また完全数とは、自身を含まない約数★2をすべて足すと自分になる数である。たとえば28の約数は1、2、4、7、14の5つで、これらを足すと28になるので、28は完全数である。ちなみに1万以下の完全数は6、28、496、8126の4つしかない。そしてこれらは**3角数と同様、自然数（1以上の整数）を順に足した数でもある**。たとえば496は1から31までの総計だ。こうした奇妙な性質はたしかに一見して神秘的ともいえる。

　またよく竪琴《たてごと》を奏《かな》でていたピタゴラスは、琴の弦の長さを整数で分割したときの音の変化から、ある発見をした。弦の長さを2等分すると音の高さが1オクターブ上がる（音の周波数が2倍になる。**図5**）。そして弦を3対2や3対4のような**整数比で分けると澄《す》んだ和音が得られる**。彼はここから世界最古の音階（**ピタゴラス音律**）を生み出したといわれる。

無理数の秘密をもらして殺された男

用語解説

★1　オリエント統一
ペルシア人（現イラン人）国家アケメネス朝は、新バビロニア王国やメディア王国などを倒し、前525年にはエジプトを征服した。これによりイラン高原からエジプトまでの広大なオリエント地域が統一された。

★2　約数
ある整数について余りを出さずに割ることのできる整数。たとえば15の約数は1、3、5、15。

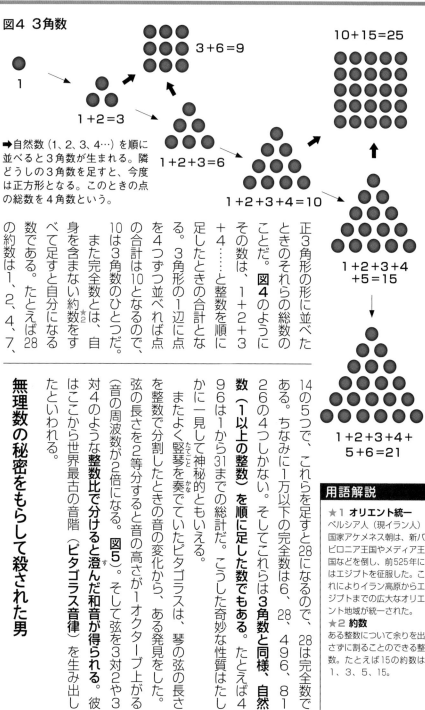

図5　弦の振動

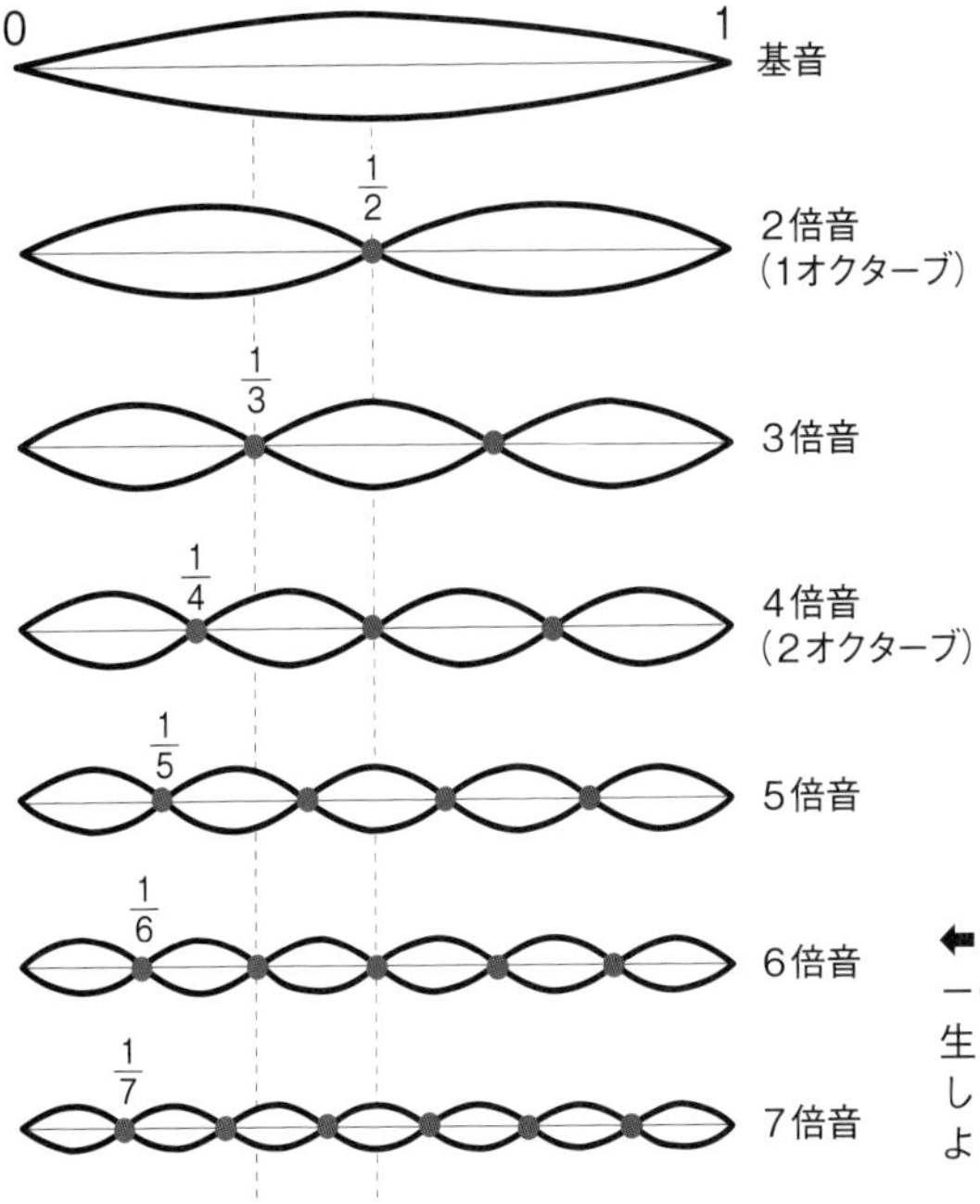

0
1
基音
1/2
2倍音
（1オクターブ）
1/3
3倍音
1/4
4倍音
（2オクターブ）
1/5
5倍音
1/6
6倍音
1/7
7倍音

⬅ピタゴラスは弦の長さとハーモニーの関係を見抜き、ここから音階を生み出した。図は弦の振動を図式化したもの。節が一致する音どうしはよく調和する。

図6　ペンタグラム

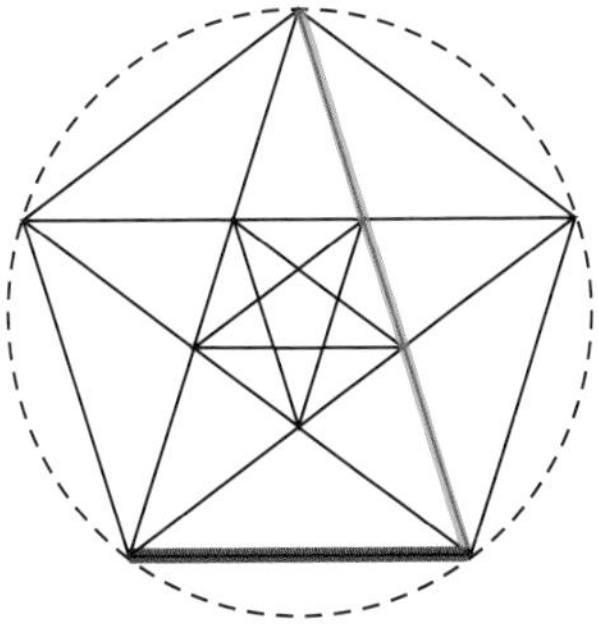

⬆五芒星はピタゴラス教団のシンボル。5角形の辺（赤線）を1とすると、五芒星をつくる対角線（青線）は（1＋$\sqrt{5}$）／2と無理数となる。

ピタゴラスの最大の業績は「三平方の定理」、つまり直角3角形の斜辺の2乗は他の2辺の2乗の和に等しいというものだ（87ページ**図3**）。これはだれもが学校で習う単純明快な定理だ。しかし彼らにとって重要なことは、3、4、5という整数だけからなる直角3角形が存在することであった。

ところがこの定理が教団を混乱させた。1辺が1の2等辺直角3角形を考えると、その斜辺は整数にも分数にもならない。それは1・41421 3……と**小数点以下が無限に続く数**（$\sqrt{2}$：ルート2）であり、この数どうしをかけ合わせてはじめて整数2になる。彼らは**小数点以下が循環することなくどこまでも続く数、すなわち「無理数」を発見**したのだ。

これは教団最大の秘密となったが、教団内のヒッパソスがこの秘密を友人にもらした。ヒッパソスはきびしく糾弾《きゅうだん》され、**縛《しば》られて荒海に放り込まれたとも、墓に生き埋めにされたとも**伝えられる。ピタゴラス教団のシンボルは5角形の中に描かれた五芒《ごぼう》星（**ペンタグラム。図6**）だが、ここには〝無理数の比〟が内包されている。ピタゴラス教団はそもそも〝**無理数の教団**〟だったのだ。■

ユークリッド幾何学

〝自明の理〟の公準の落とし穴

聖書につぐロングセラー

エジプトにあった古代都市アレクサンドリアには、世界中のあらゆる書物を収集せんとする図書館が存在した。**アレクサンドリア**に立ち寄った人はみな書物を没収《ぼっしゅう》され、後に写本を返されたともいわれる。当時としては世界最大のこの図書館にはギリシア、ローマ、エジプト、アッシリア、ペルシア、インドなどの各国の書物が70万冊も集められていたという。各地の知識人や学生がここを訪れて学び、興味のある本を写して手元に置いた。

だが、アレクサンドリアはたびたび戦禍《せんか》に巻き込まれ、

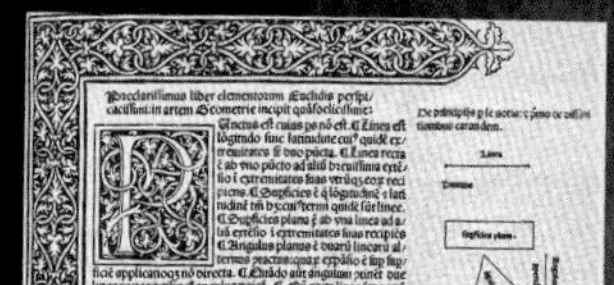

図1 ←「幾何学に王道なし」と王をいさめたことでも知られる数学者ユークリッド。↑当時の数学の集大成でもあるユークリッドの『原論』は、西欧では長らく教科書として使用され、ニュートンも愛読した。

左図／Fondazione Cariplo

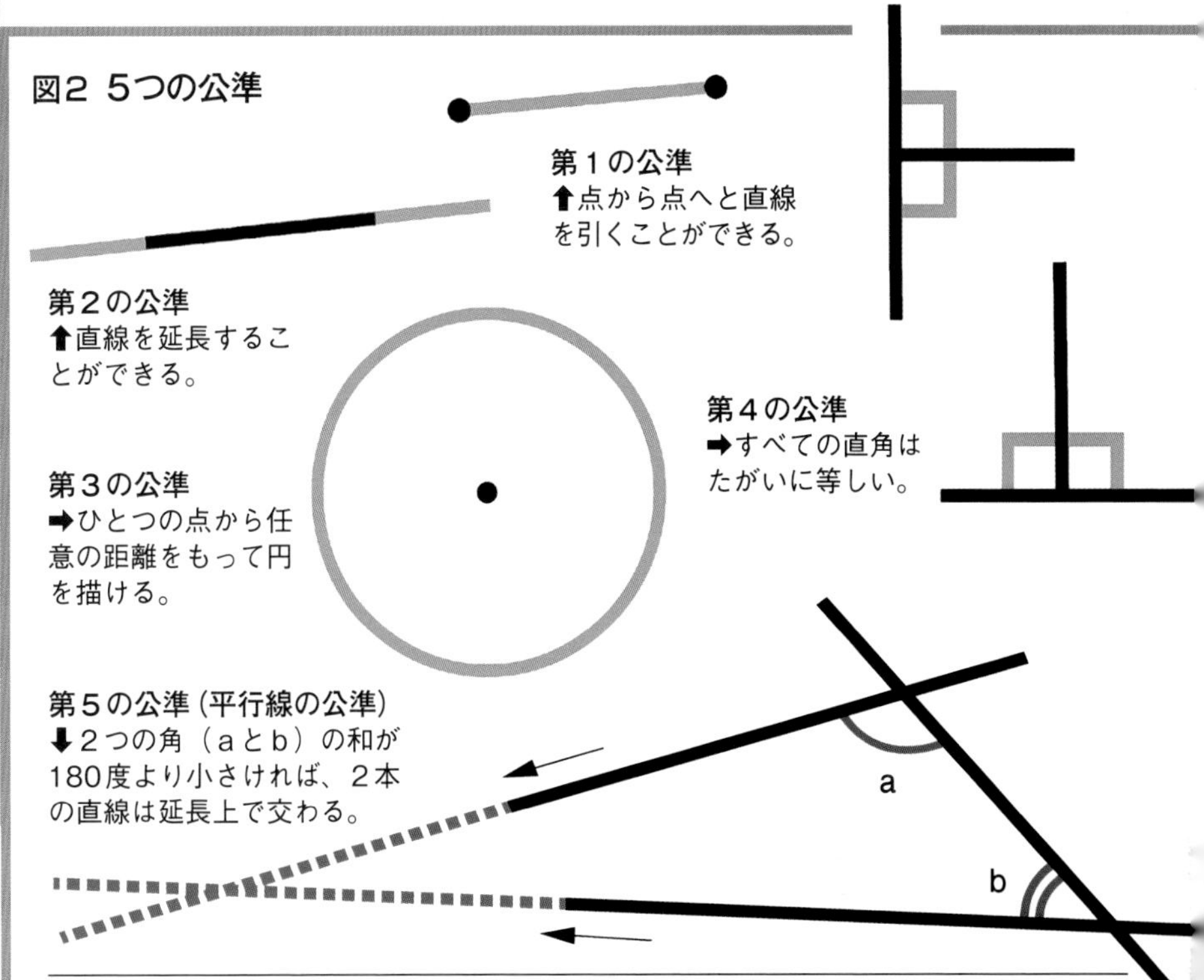
図2 5つの公準
第１の公準
⬆点から点へと直線を引くことができる。
第２の公準
⬆直線を延長することができる。
第３の公準
➡ひとつの点から任意の距離をもって円を描ける。
第４の公準
➡すべての直角はたがいに等しい。
第５の公準（平行線の公準）
⬇２つの角（ａとｂ）の和が180度より小さければ、２本の直線は延長上で交わる。
a
b

図書館も火災に見舞われて書物の多くが焼失し、当時の英知が消え失せた。とはいえ、原本や写本が生き残ったものもある。

なかでも**ユークリッド（エウクレイデス）**の『**原論**《げんろん》』（図1）は、何種類もの写本が残されたまれな書物である。13巻からなるこの数学書は、古代エジプトに源流を発し、古代ギリシア時代に大きく発展した数学を体系的にまとめたものだ。『原論』は近代まで西欧で教科書として利用され、**“聖書につぐロングセラー”**とも呼ばれている。近代物理学の父ニュートンもこの本で数学を学び、自身の著書をこの本にならって書いたのだ★1。

ユークリッドは、紀元前4世紀頃に活躍した古代ギリシアの数学者とされている。あるとき彼はエジプト王**プトレマイオス1世**に幾何学を教えていたが、王にもう少し簡単な学び方はないかと問われた。これに対しユークリッドは、「**幾何学に王道はない**」と厳しく諭《さと》したという。

ユークリッドの生涯はほとんど知られておらず、前記の逸話《いつわ》に登場する王もアレクサンドロス大王だとするものもあり、

用語解説

★1
ニュートンが万有引力や力学の３法則についてまとめた著書『プリンキピア（自然哲学の数学的諸原理）』のこと。

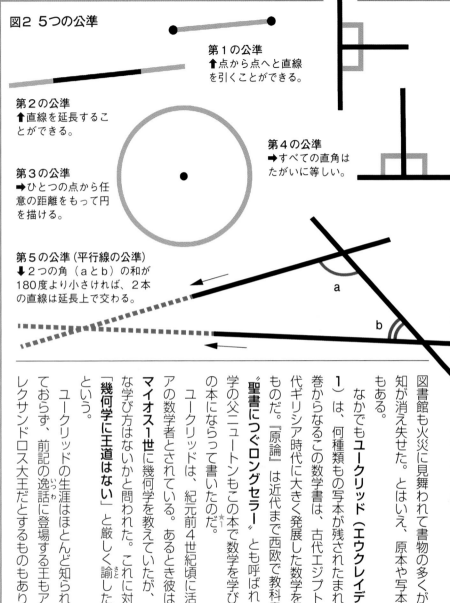

図3 ⬅ユークリッド幾何学が成立しない世界を描いたリーマン。つねに精神的に不安定で、39歳のときに肺結核で亡くなった。

図4 リーマン幾何学（非ユークリッド幾何学）

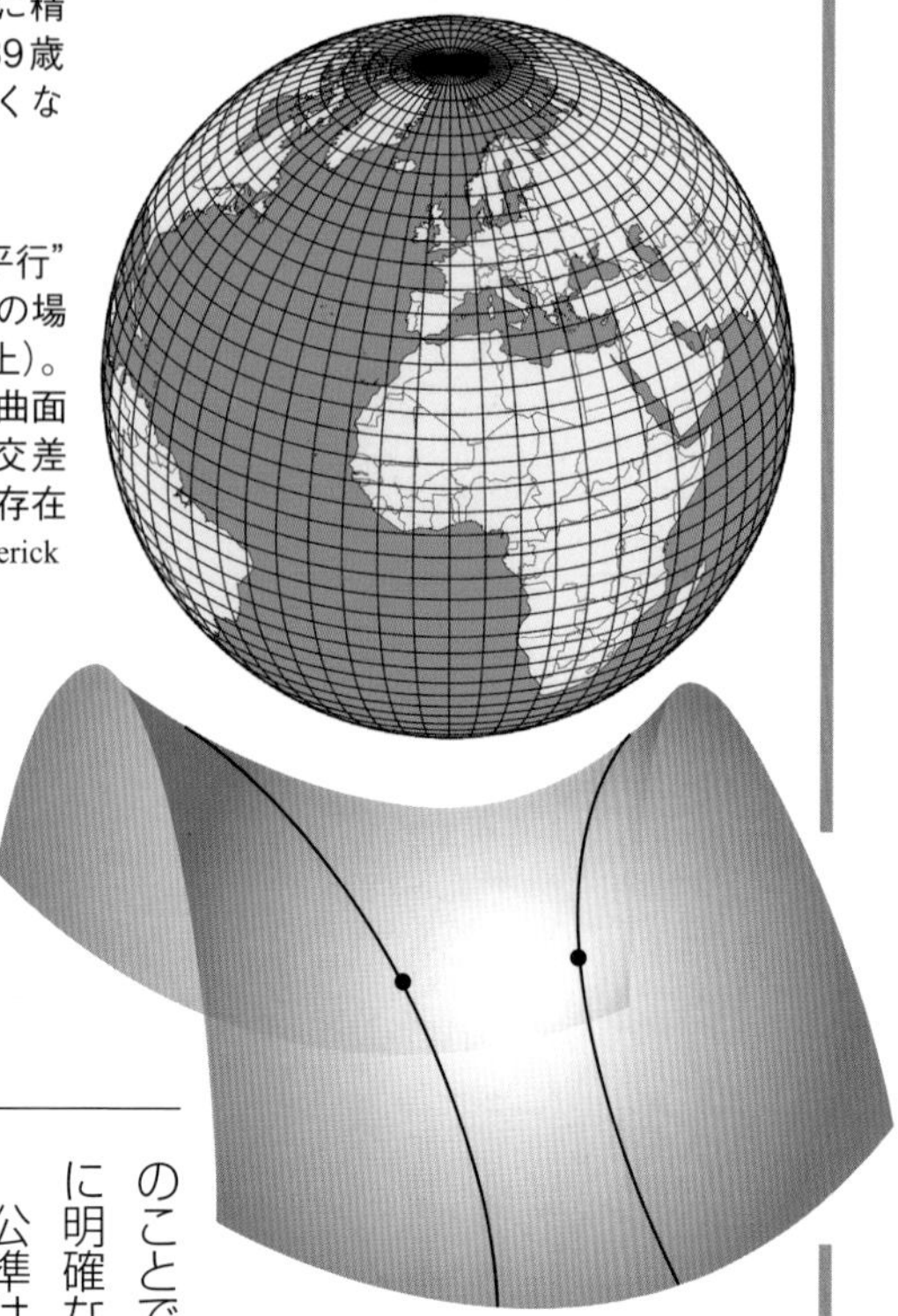

➡地球儀の経線は“平行”と見えても、必ず別の場所で交差している（上）。逆に馬の鞍のような曲面（下）では、決して交差しない曲線が何本も存在する。　上図／Hellerick

真実は不明である。また大著『原論』は複数の人間がユークリッドの名で書き記したとする説もある。だがこの書の大部分の筆記スタイルは統一されており、おもにひとりの人間の著作との見方が強い。

証明できない「平行線の公準」

『原論』には序文や前書きなどがいっさいない。1巻は**幾何学**でいきなり「**点は部分のない存在である**」で始まり、点や線、面の定義が続く。そして読者がいくつかの見方を〝証明なしに〟受け入れることを求めている。それが「**公理**」や「**公準**《こうじゅん》」である。これらはいずれも証明の基礎となる前提のことで、公理のほうが絶対的な決まりだが、公準との間に明確な違いはない。

公準は5つあり、最初の4つは比較的わかりやすい（以下では単純化している）。

①任意の点から点へと直線を引くことができる。
②有限な直線を延長することができる。
③任意の点から任意の距離をもって円を描ける。
④すべての直角はたがいに等しい。

これらはどれも議論の余地がなさそうである。ところが5つ目の「**平行線の公準**」はかなり複雑で意味をとりにくい（91ページ**図2下**）。いまではよく「**直線外の1点を通り、この直線に交わらない直線（平行線）は1本しか存在しな**

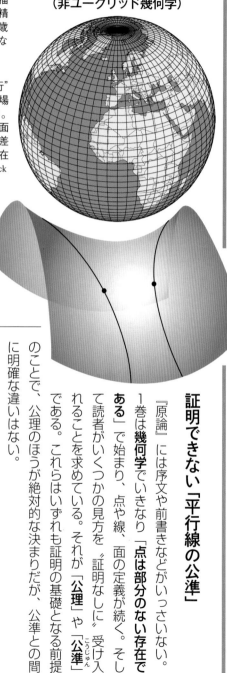

い」と表現される。だがこのように複雑な内容の公準を、単純に正しいと受け入れてよいのか？　**公理や公準はすべての定理や証明の土台であり、そこに間違いがあればすべての証明が崩れかねない**。そこで数学者たちは長い間、平行線の公準を証明しようとしては失敗した。

それもそのはず、**この公準はじつは限られた場面でしか正しくない**。それを証明したのは18～19世紀の数学者**フリードリヒ・ガウスやベルンハルト・リーマン**（図3）などであった。

平行線の公準の“間違い”は、たとえば地球儀を見ればわかる。球面状の地球儀では、経線のような直線は、線外の1点を通る別の直線と必ずどこかで交差する。すなわち1本も平行線がない。逆に馬の鞍《くら》のような曲面では、特定の1点を通り直線と交わらない直線を何本でも引ける（図4）。

リーマンは、平行線の公準が成立しないとみなし、ユークリッド幾何学とは異なる新しい幾何学の体系（**リーマン幾何学**、**非ユークリッド幾何学**）を生み出した。そして非ユークリッド幾何学は後に**トポロジー**（**上コラム**）や**相対性理論**（20ページ参照）にも利用されるようになっていく。

ではユークリッド幾何学は間違っているのかといえば、そうではない。**ユークリッド幾何学は平行線の公準をもつ公理体系の中ではまったく矛盾なく成り立つ**。ユークリッド幾何学はゆがみのない**直交する座標**、すなわち縦、横、高さというまっすぐな軸をもち、われわれが直感的に理解しやすい座標の中では現在でも正しいのである。■

COLUMN

トポロジー “ゴム膜”の幾何学

ある会合の休憩時間、数学者たちにコーヒーとドーナッツ、プチケーキが供された。菓子は皿に乗り、スプーンやフォークも添えられている。

すると、彼らはテーブル上のものを2つのグループに分けた。①ドーナッツ、コーヒーカップ　②ケーキ、スプーン、フォーク、皿

各グループの共通点は何か？それは「穴」があるかないかだ。①の穴の空いたドーナッツをゴムのようにやわらかくして変形すればカップになるし、②の皿を変形すればスプーンやフォークもできる。

このようにものを“ゴム膜”のような伸縮自在の素材でできているとみなし、さまざまな図形や立体の構造や特徴をとらえる研究を「**トポロジー（位相《いそう》幾何学）**」と呼ぶ。

都市地下鉄の路線図なども、トポロジー的発想によって描かれている。

図／細江道義

フラクタル図形の幾何学

部分は全体をまねる？

入れ子構造を体現した野菜ロマネスコ

スーパーマーケットに行くと、たまに**ロマネスコ**という名の野菜を見かける（**図1**）。黄緑色のカリフラワーの仲間で、外見が奇妙なほど幾何学的だ。**全体は円錐《えんすい》形だが、その円錐も多数の円錐形の突起の集まり**でできている。よく見ると、それぞれの突起もさらに小さな円錐形の突起の集合体だ。

この野菜のように**部分が全体と同じ形**（**相似形《そうじけい》**）**をしていることを「自己相似形」**といい、このような性質の図形を「**フラクタル**」と呼ぶ。〝かけら〟や〝断片〟という意味のフランス語や英語のフラクション（fraction）からの造語である。有名なフラクタル図形に「**シェルピンスキー・ガスケット**」（**図3**）、「**バーンズリーのシダ**」などがある。**どれも一見複雑そうに見えるが、実際にはごく単純なルールで描くことができる。**

自然界にはあらゆるところにフラクタル構造が存在する。たとえば人間の肺の血管、雷鳴とともに夜空を走る稲妻の枝分かれ、三陸（東北地方）のリアス海岸などだ。こうした構造も、さきほどの図形と同様、単純な法則に従って生まれるのかもしれない。

フラクタルや自己相似形という言葉を考え出したのはポーランドの数学者**ベノワ・マンデルブロ**。彼は1967年、「**イギリスの海岸の長さはどのくらいか？**」という論文を書いた。海岸線をおおざっぱに描いたときと細かい構造まで描きこんだときでは、後者のほうが海岸線ははるかに長くなる（**図2**）。マンデルブロは、海岸線を細かく観察すればするほどその総延長は長くなり、ついには「**無限**

図1 ⬆ロマネスコは、大きな突起も小さな突起も円錐形。　写真／Bouba

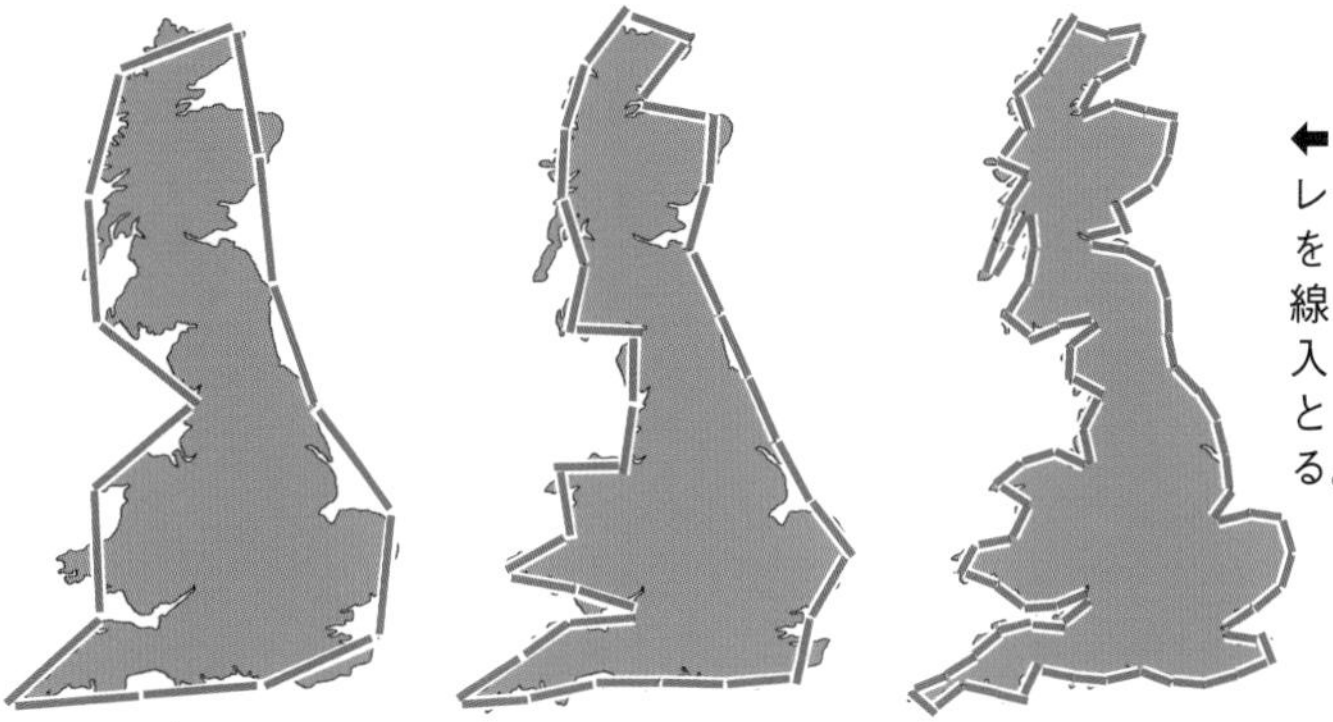

図2 海岸線

⬅イギリス本島（グレートブリテン島）をざっと描いた海岸線は短いが、小さな入り江や岩まで描くとどこまでも長くなる。

大になる」ことを見いだした。**フラクタルは入れ子構造**なので、どこまでも小さくすれば無限の入れ子が生まれるからだ。

整数ではない〝はんぱな次元〟

フラクタル図形にはほかにも奇妙な性質がある。96ページ**図4**は20世紀はじめにスウェーデンの数学者**ヘルゲ・フォン・コッホ**が考えた「**雪片の図形**」。コッホ図形は1

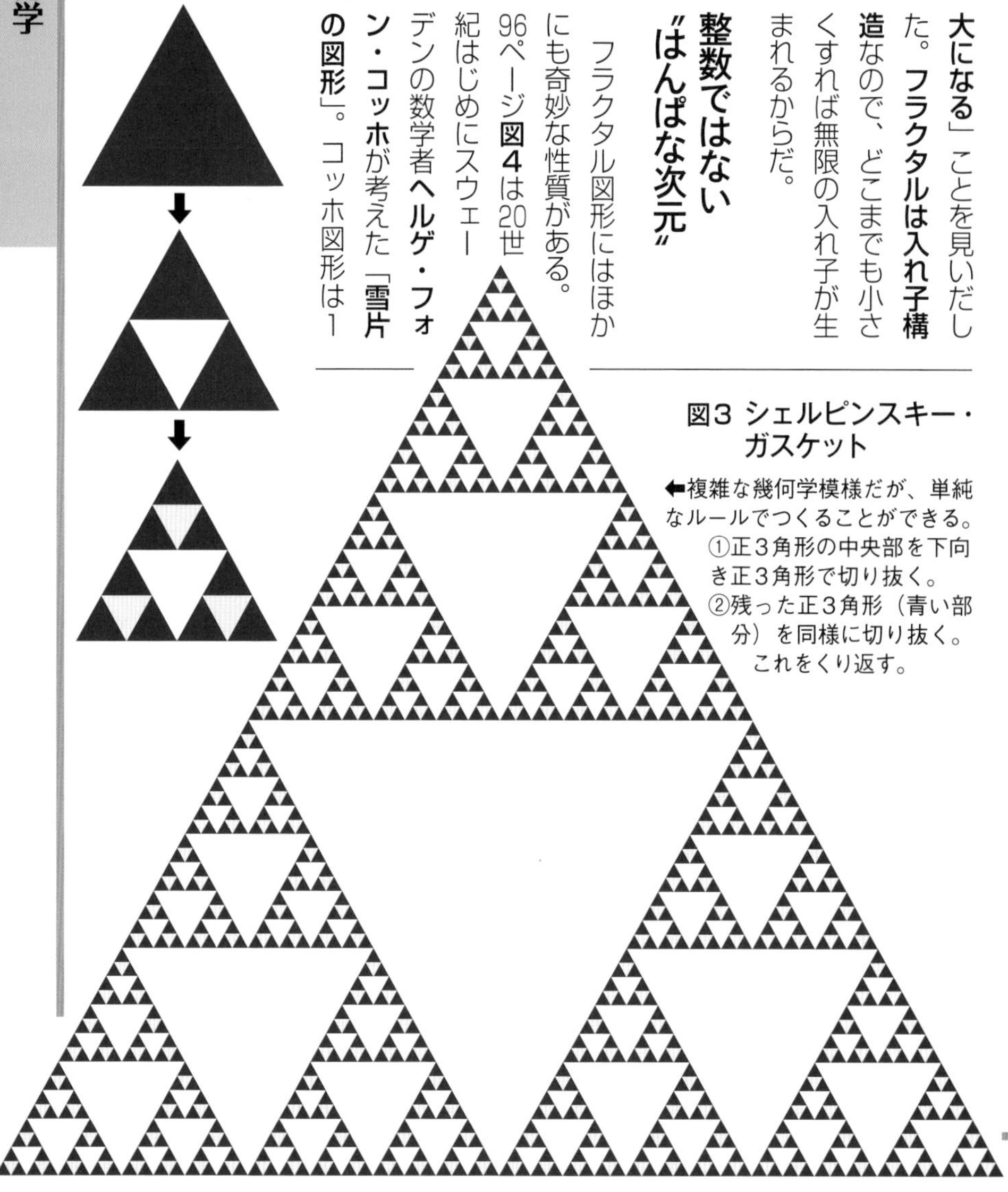

図3 シェルピンスキー・ガスケット

⬅複雑な幾何学模様だが、単純なルールでつくることができる。
①正3角形の中央部を下向き正3角形で切り抜く。
②残った正3角形（青い部分）を同様に切り抜く。
これをくり返す。

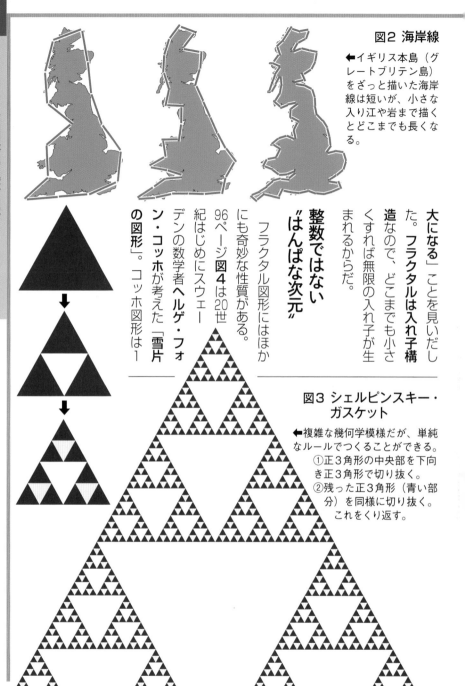

本の線が生み出す〝1次元〟の存在なので、単純に考えれば線上の位置は特定の点からの長さがわかれば自動的に決まるはずだ。

しかしこの図形は、**どれほど狭い部分を拡大しても同じ図形がくり返し現れる**。つまり2点間の距離は実質的に無限になる。

ドイツのフェリクス・ハウスドルフはこのような性質をもつ線を〝1次元〟と呼ぶことに疑問をもち、次元の定義を考え直した。1次元の線を2倍すると長さは2倍（2の1乗）になり、2次元の正方形の1辺を2倍すると面積は4倍（2の2乗）、3次元の立方体なら体積は8倍（2の3乗）である。つまり**n次元の図形を2倍にすると大きさは2のn乗になり、3倍なら3のn乗となる**。

そこでコッホの雪片に戻り、図の1／4をとって3倍にすると、もとと同じ形と大きさの曲線が現れる。ここでさきほどの**大きさと次元の関係からコッホの雪片の次元を逆算する**と、約1・26と整数ではない〝**はんぱな次元**〟になる。つまり雪片は**2次元ほどに面を埋めてはいないが、1次元よりは複雑**に入り組んでいる。こうした次元の見方を「**ハウスドルフ次元**」と呼ぶ。

実際の海岸線でもハウスドルフ次元を求めることができる。ある研究者によると、さきほどの三陸海岸は1・39次元となり、雪片図形よりやや複雑になる。

数学分野でいろいろな業績を残したハウスドルフだが、ユダヤ人であったため1939年にナチスによってボン大学教授職を追われ、42年には強制収容所送りの指示が出た。ハウスドルフと妻、そして妻の妹は大量の催眠剤を服用して自死した。■

図4 雪片の図形

⬆雪片の図形の描き方。星形6角形（六芒星《ろくぼうせい》）の突起部をそれぞれ、星形6角形の上半分に変える。これをくり返すと雪片の周縁の長さは無限大になる。

カオス理論（カオス力学）

科学は〝ラプラスの悪魔〟にはなれない

なぜ気象予報は当たらないのか

アイザック・ニュートンが自然界を支配する力学の基本法則（ニュートン力学）を全3巻にまとめたのは17世紀のことだ。本の題名は『**自然哲学の数学的諸原理（プリンキピア）**』。以来世界の科学者は、宇宙のあらゆる現象はこの力学ですべて説明できると信じてきた。

とりわけ18世紀フランスの数学者・天文学者**ピエール・ラプラス**は、ニュートンの考えを極限まで拡大しようとしてこう考えた。

「この宇宙をつくっているすべての粒子の現在の位置とその運動についての情報が得られるなら、次の瞬間にそれぞれの粒子がどう動き、他の粒子とどうぶつかり、それらの運動がどう変わるかを正確に予測できるはずだ。そしてその瞬間の予測から次の瞬間の全粒子の状態も知ることができる。**これを無限に積み重ねれば、宇宙の過去も未来も完全に見通すことができる**」

このとき以来、宇宙のすべてを見通すそのような（想像上の）観測者かつ**ニュートン力学的世界の予言者は〝ラプラスの悪魔〟**と呼ばれることになった。そして科学者たちは、ニュートン力学によって世界を完全に理解することを究極目標としはじめた。自分こそがラプラスの悪魔になれると信じて――

こうした因果律《いんがりつ》に立った見方は、宇宙の出来事はすべてあらかじめ決定しているとする「**予定調和**」や「**決定論**」の世界観である。

だがまもなく、それはただの幻想だとわかってきた。人

図1 ⬇北京のチョウがはばたけば暴風雨が……

コラージュ／十里木トラリ

間が考え出した数式で説明できる予測可能な事象など、この世界ではささやかな例外でしかない。家からあるいは地球から一歩外に出れば、**どんな数式や理論も役に立たない混沌《こんとん》の世界が広がる**ことがわかってきたのだ。

そうした事例がまず現れたのは1961年。マサチューセッツ工科大学の気象学者**エドワード・ローレンツ**はこのとき、**当時最高性能のコンピューターを使い、単純な気象予測モデルをシミュレーションしていた。**

彼はそのうちのある数カ月間の気象変化を調べるため、同じ部分のシミュレーションを再度試みた。はじめからやり直すのは時間のむだと考えた彼は途中の必要部分だけを再現することにし、前回のシミュレーションで用いたデータ（初期値）を入力してちょっと部屋を出た。

まもなく部屋に戻った彼は目を疑った。同じ初期値で同じシミュレーションを行えば予測される気象の変化は同じはずである。だがグラフのある点から先が前回とは似ても似つかぬ変化を示していたのだ。

彼はコンピューターが故障したと考えた。当時のコンピューターは誤作動が多かったからだ。しかしコンピューターには何の問題もなかった。

彼はすぐに2度のシミュレーションの違いに気づいた。最初のシミュレーションでは、正確な計算を期してある変数を小数点以下6桁まで入力した。だが2度目には、そんな小さな数値は大勢《たいせい》に影響しないと考えて小数点以下3桁まで入力し、残りは四捨五入した。

ところが、この**初期値の微小な違いがシミュレーションが進むにつれて急拡大**し、ついに最初の結果とはかけ離れた気象パターンを生み出したのだった。この出来事が伝えられたとき科学者たちははじめて、ニュートン力学にもとづく予定調和の世界の危うさに気づいた。

近年の**地球温暖化の議論でも同じことだが、気象現象を考えるときには大気の流れが非常に重要**である。大気は**流体力学**という物理法則に従って地上を流れるはずだ。天気予報は実際、流体力学の予測から明日やあさってや来週、来月の気象を予測している。

もし気象の観測データを正確に把握できるなら、だれでも法則にもとづいて明日の天気を100パーセントの正確さで予測し、それをもとにあさって、1カ月後、1年後、100年後の天気も予測できなくてはならない。だが現実の気象予報はそんな予測とは無縁である。「今年の夏はエルニーニョによって冷夏になるでしょう」などという漠然《ばくぜん》とした予測さえ簡単にはずれる。

北京のチョウはニューヨークの暴風へ

理由はいまや明らかだ。予測の初期条件としての観測データはどれだけ精密でも〝完全な正確さ〟とはほど遠く、それは時間とともにとんでもなく大きな違いへと発展する。ある町の風の通り道に1本の電柱が立てられた。その電柱の後ろには乱流が生じ、乱流は風のうねりへと拡大し、ついにはその町、地域、国、そして大陸の気象パターンにまで変化を起こすが、だれもそれには気づかない。

図2⬆大気循環の方程式を単純化し、その解をコンピューターで計算すると、それは“チョウの羽”に似たパターンを生み出した。　図／Wikimol

こうした変化のきっかけはどこにも無数に存在するので、いまの状態は次の瞬間には予測不能の変化を引き起こす。そこでこうした現象は次のようにたとえられる。

「北京で1匹のチョウ（バタフライ）がはばたけばそこにかすかな乱流が生じ、それは大気の流れに影響して、数日後か数週間後にニューヨークで暴風を引き起こす」

これは「**バタフライ効果**」と呼ばれる。大げさに聞こえるが、いまやわれわれはそれが真実であることを自然界や人間社会のあらゆる場面で日常的に見ている。気象、洪水や土砂崩れ、株価の暴落、一瞬のよそ見が引き起こす悲劇的な交通事故、ばかげたもめごとからいっきに軍事衝突に発展する国家間の対立。

この世界に完全な秩序は存在せず、**すべての出来事は無限に変転し、まったく同じことは2度と起こらない**。たえず生じるとるに足らない小さなきっかけ——決定論では予測不能の〝**第3の変数**〟——**が、明日には全体を混沌《こんとん》と無秩序（＝カオス）へと導く**。これが現実世界の本質だとカオス理論は述べている。■

フェルマーの最終定理

簡単な方程式の困難な証明

300年以上未解決の問題

「私はじつに驚くべきその証明を見いだした。だが**それをすべて記すにはこの余白は狭《せま》すぎる**」――この有名な言葉は、17世紀フランスの**ピエール・ド・フェルマー**（図1）がある数学書に書き残したものだ。

フェルマーは弁護士で、地方政府の政治顧問《こもん》を務めていた。数学はあくまで余技で、自分の研究を著作にまとめたこともほとんどなかった。彼の業績《ぎょうせき》として残されたものの多くは、死後に息子が数学書の余白や紙切れに書かれたメモや方程式をまとめたものだ。

とりわけ多くの書き込みがみられたのは、古代ギリシアの数学者**ディオファントス**が著した3世紀頃の『**アリスメティカ（算術）**』であった。フェルマーはこの本の処々方々に出てくる大きな余白を使って、問題の解法や新しい定理などを思いつくまま書き込んでいた。

フェルマーはあるとき、ひとつの方程式を『アリスメティカ』に書き記した。**ピタゴラスの定理**（三平方の定理）の$x^2+y^2=z^2$という式を変形したものだ。式に現れる2という数字を、**3以上のあらゆる整数nに変えたのである**。そして彼はこう付け加えた。「**3以上の整数でこの方程式が成り立つことはない**。自分はその証明を見いだした」――冒頭のメモはこの言明《げんめい》であった。

フェルマーが残したこの問題が息子の手で発表された1670年以降、数多くの数学者がこの問題の証明に取り組

$$x^n+y^n=z^n$$

図1⬆フェルマーは政治顧問として生計を立て、数学は趣味として楽しんだ。

$X^n+Y^n=Z^n$
④フライ
フェルマーの方程式を特殊な曲線に変え、その曲線が存在しえないことを示した。
③ガロア
決闘死の前日、ワイルズの証明の土台となる群論のアイディアを書き記した。
⑤ワイルズ
タニヤマ=シムラ予想を証明、最終定理の完全な証明に至った。
②ジェルマン
“男装の数学者”。一部の素数についての証明法を考案した。
①オイラー
虚数を用いて3乗について証明。

図2 証明までの長い道のり

写真・図／① Rudolf Bischoff-Merian（寄贈1849年）、②十里木トラリ、③矢沢サイエンスオフィス、④Renate Schmid、⑤C.J.Mozzochi, Princeton N.J

んだが、それは300年もの間、完全な証明には至らなかった。そのためいつしかそれは「**フェルマーの最終定理**」と呼ばれるようになった。

定理自体はこれほど単純なのになぜ証明が困難なのか？　数学者たちはこの定理に多様なアプローチを試みては失敗した。だが、証明に結びつかなくとも、そこから数学の領域を横断する多彩な成果が得られたことは確かである。

証明までの遅々たる歩み

証明に先鞭《せんべん》をつけたのはフェルマー自身であった。彼は『アリスメティカ』の別の余白に、nが4についての証明を記した。これは「**無限降下法**《むげんこうか》★1」と呼ばれる手法で、後の数学者**レオンハルト・オイラー**（**図2①**）もこの手法を用いて3乗についての証明に成功した。しかしこのときオイラーは、**虚数**《きょすう》（2乗するとマイナスになる数）を用いなくてはならなかった。

次に証明を大きく前進させたのは19世紀はじめのフランスの女性数学者**ソフィ・**

用語解説

★1 無限降下法
フェルマーが発展させた証明法。最初に式を満たす自然数の組が存在すると仮定し、これが正しければより小さな自然数の組もあると証明する。すると次々により小さな自然数の組が想定されるが、自然数は1以上の整数なのでこれを無限に続けることはできない。とすれば最初の仮定は誤りであり、式を満たす自然数の組は存在しないことになる。

ジェルマンである（101ページ**図2②**）。女性が大学に入ることを許されなかった当時のフランスで、彼女は男装してこっそりパリの大学に通い、数学の講義を受けた。そして、**nが一部の素数《そすう》（1と自身でしか割り切れない整数）になるときの限定的証明に成功**したのだった。彼女は高名な数学者**ガウス**に男性名で手紙を送って意見を求めた。ガウスはこの定理に興味をもっていなかったが、彼女の研究には独創性があると見て、研究を続けるよう奨励《しょうれい》した。

その後、正17角形の作図法といった一見関係のなさそうなさまざまな数学の手法を駆使《くし》することにより、**19世紀半ばまでにフェルマーの最終定理は、3つの素数を除く100までが証明された。**

20世紀半ばになるとコンピューターの出現によって計算能力が飛躍的に向上したため証明される数がいっきに増え、数学者はフェルマーの最終定理は正しいと確信するようになった。だが完全な証明を得るには、イギリスの数学者**アンドリュー・ワイルズ**（存命）を待たねばならなかった。

屋根裏の秘密の挑戦

1953年生まれのアンドリュー・ワイルズ（**図2⑤**）がフェルマーの最終定理に出合ったのは10歳のときであった。彼は数学が大好きで、その日も図書館で数学の本を読んでいたが、そこにフェルマーの最終定理とその歴史が書かれていた。彼は少年でも理解できるそのシンプルさに惹《ひ》かれ、この定理は自分が証明すると決意した。

彼はオクスフォード大学で数学を学んだ後、博士号を得るためにケンブリッジ大学に移った。ここで彼が指導教官から与えられたテーマは「**楕円《だえん》曲線**」であった。楕円曲線とは平面上の3次の曲線（曲線を示す方程式にxの3乗が現れる）で、楕円とは直接の関係がない。フェルマーの最終定理はしばらく棚上《たなあ》げとなった。

楕円曲線については1950年代、**志村五郎**と**谷山豊**★2という2人の日本人がある推測を立てた。**すべての楕円曲線は必ず「モジュラー形式★3」に結びつく**というものだ。この「**タニヤマ＝シムラ予想**」は数学の異なる領域を融合するものとして注目されたが、証明は困難と考えられていた。

だが1985年、ドイツの**ゲルハルト・フライ**（**図2④**）がここに一石を投じた。彼はフェルマーの最終定理の方程式に解があると仮定し、それを奇妙な形の楕円曲線の式に変換《へんかん》してみせた。そしてこう論じた——「タニヤマ＝シムラ予想が正しければ、楕円曲線はすべてモジュラーである。だが**フェルマーの方程式が示す楕円曲線はおそらくモジュラーではなく、解がない**。いいかえればフェルマーの最終定理は正しい！」★4。

まもなくフライの楕円曲線が実際にモジュラーではないことが証明され、**欠けた輪は残りひとつ——タニヤマ＝シムラ予想の証明**となった。

アメリカのプリンストン大学で教鞭《きょうべん》をとっていたワイルズは、このニュースに「感電したようなショックを受けた」という。10歳の頃に彼を数学者へ向かわせた夢が、自らの専門分野で眼前に差し出されたのだ。彼はすぐさまタニヤマ＝シムラ予想の証明に取りかかった。大学の講義は続けながら、それ以外の時間は自宅の屋根裏にこもって証明に費やした。

1993年、ワイルズはケンブリッジ大学で「モジュラー形式、楕円曲線、ガロア表現」という一連の講演を行った。彼は**ガロアの群論**★5のアイディアを利用してタニヤマ＝シムラ予想の証明を進めた。講演最終日には会場は聴講《ちょうこう》者ですし詰めとなった。そして講演が終わったとき、「フェルマーの最終定理がついに証明された」というニュースが世界を飛び交った。

だが数カ月後、証明に小さな穴が見つかった。元教え子の協力を得ながらワイルズはこの穴をふさごうとしたが、それは容易ではなかった。だがあるとき彼は、いったん放《ほう》棄《き》した手法を用いれば問題が解決することに気づいた。こうして1995年、ついに証明は完成した。**フェルマーの最終定理は正しかった**のである。

ではフェルマー自身は本当に証明を手にしていたのか？ワイルズの証明は現代数学を駆使しており、フェルマーが書き込んだ〝驚くべき証明〟は勘違《かんちが》いだったのかもしれない。だがディオファントスの『アリスメティカ』は世界ではじめて楕円曲線を取り上げた書物とされ、少なくともフェルマーはその概念《がいねん》には通じていたはずではある。■

用語解説

★2 谷山豊（1927〜58年）
名前は本来は「とよ」。1955年にタニヤマ＝シムラ予想の原型を考案。58年「はっきりした理由はないが、疲れた」と遺書を残してガス自殺。半月後に婚約者もガス自殺した。

★3 モジュラー形式
複素数（実数＋虚数）の変数からつくられる関数で、特殊な条件を満たし、４次元座標上に周期的構造をもって示される。対称性が高く、さまざまな変換に対してもとの形を保つ。

★4 参考資料
サイモン・シン『フェルマーの最終定理』（新潮社）

★5 ガロアの群論
ある性質をもつ数や記号のグループについて、特定の演算を行った後にも性質が変わらないときそのグループを「群」という。フランスのエヴァリスト・ガロア（101ページ図2③）が考案。彼は方程式の解を群とみなし、５次以上の方程式は代数的に解けないことを示した。1811年生まれのガロアは過激な政治活動により２回逮捕され、20歳のとき決闘で射殺された。

カントールの「連続体仮説」

無限より大きな無限という不可解

点の数はどちらが多い?

ここに2本の直線がある。1本の長さは5㎝、もう1本は10㎝だ。ではこれらの中に含まれる点の数はどちらが多いか?

たいていの人は10㎝のほうが多いに決まっていると言うだろう。だがそれは誤りである。実際には2本の直線に含まれる点の数は等しく、それを証明することもできる。

5㎝と10㎝の平行線を適当に書き、2本の線からやや離れたところに点を打つ。この点から平行線に交わるように直線を引いてみる（**図1**）。すると、**短い線と長い線をつくる点がどれも〝1対1〟で対応している**ことがわかる。つまり、**短い線でも長い線でも点の数は同じ**なのだ。

では5㎝の直線と一辺5㎝の正方形、つまり**線と面では点の数はどちらが多いか?** ドイツの数学者**ゲオルク・カントール**は、線と平面ではさすがに「平面上の点のほうが多い」と考えた。だが1877年、彼はそれが間違いだと自身で証明してしまった。**線上の点と平面上の点は完全に1対1で対応する**のだ。

彼はこの証明に仰天し、年上の友人**リヒャルト・デデキント**に「自分で見ても信じられない」とフランス語で書き送った。しかもカントールは、平面だけでなく立体でも同じことが成り立ち、さらにより大きな次元（想像は困難だ

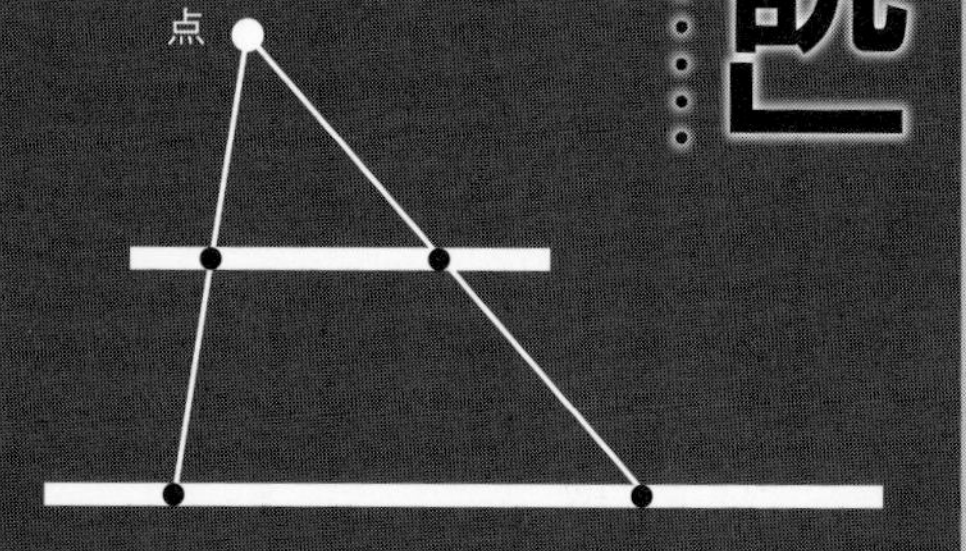

図1 ⬆ 2本の平行線中の点の数は同じ? 点から引いた直線は2本の平行線と1点のみで交わる。

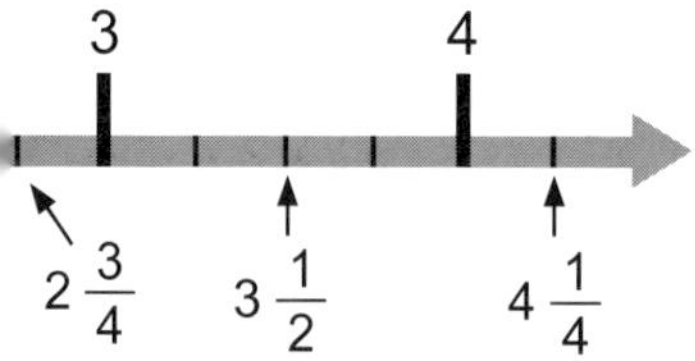

図2 整数と有理数

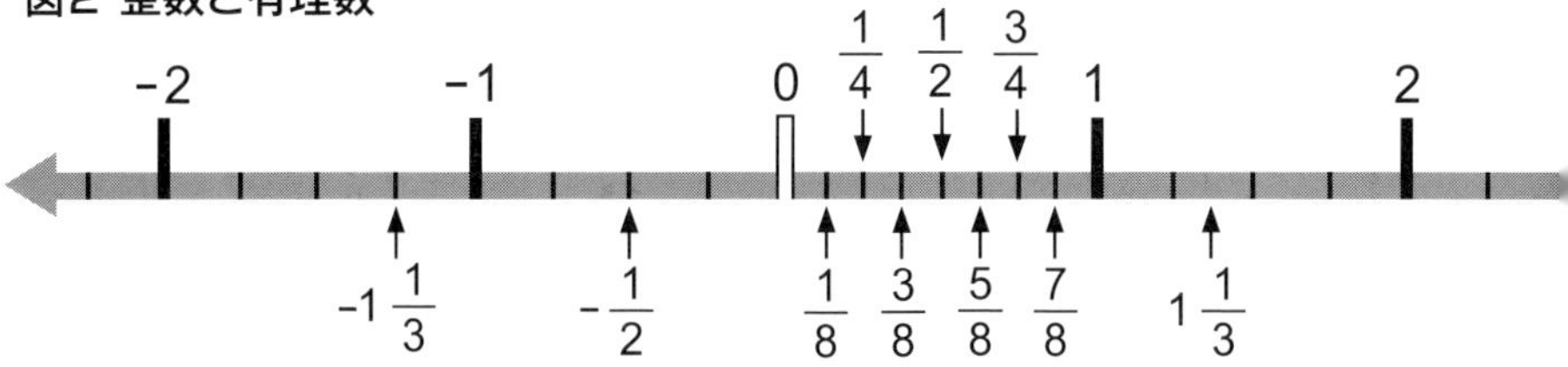

⬆有理数は無限に存在する（ここでは一部のみ表示）。数直線上の間隔がどれほど狭くても、その間に有理数を見いだせる。だが、有理数のみで数直線を埋め尽くすことはできない。

が）でも、同様であることを示したのだ。

〝数えられる無限〟と〝数えられない無限〟

カントールはデデキントとともに「**無限**」という概念に挑んだ数学者である。カントールの最初の挑戦は、**整数**と**有理数**（整数どうしの比で表される数）の個数を比べることであった。

どちらもその数は限りなく、無限である。だが、数を表す直線（＝数直線）の上では整数はとびとびしか存在せず、他方、有理数はぎっしり詰まって見える（**図2**）。たとえば1と10の間では整数は10個にすぎないが、有理数は数限りなくつくり出せる。いいかえると数直線上の2点をとったとき、その2点の間がいかに狭くても有理数は存在しうるのだ。

ところが、カントールはここで、**有理数はひとつひとつ整数を使って数えることができ、したがって両者は1対1で対応する**ことを見いだした。つまり、奇妙で納得しがたいものの両者の数はまったく同じだということだ。

それでは、有理数の個数と数直線上の点すべてではどちらが多いか？　ここで数直線上の点とは、有理数と、それ以外の数である無理数を足し合わせたもので、「**実数**」を示している。有理数の個数も無限だが、実数の数ももちろん無限だ。だがカントールによれば、実数のほうがはるかに数多いという。彼はそれを「**対角線論法**★1」という手法で証明したのだった。

別の角度で同様のことを証明したのがデデキントである。彼は直線を途中で〝切断〟し、その〝切り口〟を調べるという方法を用いた（**デデキントの切断理論**★2）。デデキントはこれにより、有理数だけでは数直線を埋め尽くすことはできないことを示したのだ。

つまり、カントールやデデキントによれば、一口に無限といっても少なくとも2種類存在することになる。整数や有理数のような〝**数えられる無限**〟と実数や無理数のような〝**数えられない無限**〟である。カントールは数えられる無限をヘブライ語のアルファベットの最初の文字をとり「**$\aleph_0$（アレフゼロ）**」と名付けた。

では実数や無理数の個数はどのくらいだろうか？ 数えられないのに個数というのはおかしな話だが。

無理数では小数点以下の数字が無限に続く。ここでいう無限の桁数とは$\aleph_0$個といいかえられる。そこで話を単純にするため数字を2進法で表すと（10進法でも結論は同じだが）、各桁は2つの選択肢すなわち0か1のどちらかとなる。そこで**無理数の個数は、2×2×2×……と2を無限回かけた結果、すなわち2の$\aleph_0$乗個**となる。われわれにはまるで想像もつかないとてつもない数だ。

カントールは次に、数えられる無限（$\aleph_0$）と実数のような数えられない無限（2の$\aleph_0$乗＝$\aleph_1$〈アレフワン〉）の間には別の無限は存在しないと考えた。これは「**連続体仮説**」と呼ばれた。連続体とは実数や平面のような連続する存在である。カントールはこれを証明できたと考えてはその失敗に気づいて落胆することをくり返した。

1880年代にはカントールは精神状態が悪化し、所属するハレ大学の精神病院にくり返し入院するようになった。数学者たちの間では彼の実数論への反発が強く、またカントール自身も連続体仮説を証明できないことに苦しんでいた。その後、母と弟、そして末息子が相次いで死んだことも追い打ちをかけた。カントールは盟友デデキントにも手紙の返事を送らず、入院は長引き、1917年に精神病院で心臓発作を起こし、死に至った。

後にカントールの連続体仮説はある手法で証明された——だが、別の手法ですぐさま否定された。じつは、カントールを追いつめた**この仮説は、数学の公理において正しいかどうかを原理的に判定できない**という数学者にとっては怪物的存在だったのである。■

用語解説

★1 対角線論法
①"あらゆる無理数"を並べた表をつくり、番号を振る。②表の対角線上の数字で無理数をつくる。③数字の各桁を別の数字に変える。④その結果、表中にない無理数が生まれる。つまり無理数は数えられない。直感的に理解しにくい場合は、実際に少ない桁数で試すとよい。

★2 デデキントの切断理論
数直線を切断すると、数は切断面の数値より大きいグループ（Aとする）と小さいグループ（B）に分かれる。もし数直線が有理数のみでできていると考えると、A側の切断面が有理数の場合、他方の切断面はグループB中の有理数の最大値となるはず。だが、実際にはその部分に有理数が見つからない。つまり、有理数と有理数の間には無理数が存在することになる。

ゲーデルの「不完全性定理」

〝数学の不完全性〟を数学で証明

常識で正しいことは正しいか?

人は、自分の能力を超える困難な課題に長期間取り組みつづけると、ときには精神に異常を来し、うつや統合失調《とうごうしっちょう》症《しょう》を発症することがある。では天才はそうではないかといえば、行き着く先はしばしばはるかに深刻となる。真に天才とされた数学者の多くが、きわめて難解な問題と格闘しつづけたあげく、ついに精神を病むかときには自ら死を選んでいる。**クルト・ゲーデル**（**図1**）が後者のひとりだ。

学校で用いられる算数や数学の教科書は、ひとそろいの「**公理**」と呼ばれるルールをもとに書かれている。公理とは〝自明〟とされる規則、すなわち**証明を必要とせずに〝正しい〟といえる決まりごと**である。たとえば、平らな机の表面に2個の点を記したとき、これらの点を結ぶ直線は1本だけである。そんなことはだれかに説明されるまでもなく直感的に理解できる。それは、「他人の持ち物をかってに持ち去ってはならない」という常識をだれもが〝正しい〟と考える場合に似ている。

ところが19世紀末、一部の数学者が、**証明されていない公理を証明しようとしないまま放置してよいのか**疑問視しはじめた。実際、ユークリッド幾何学で自明とされた公理を否定することから新しい幾何学が生み出された前例もある（90ページ記事参照）。近代になって数学者たちが公理の証明を求めたのは、数学の世界に奇妙な矛盾が見え隠れしはじめていたためだ。

図1 ⬆“アリストテレス以来の天才”と評されたクルト・ゲーデル。写真は1956年、プリンストン高等研究所で撮影された。 写真／Arnold Newman

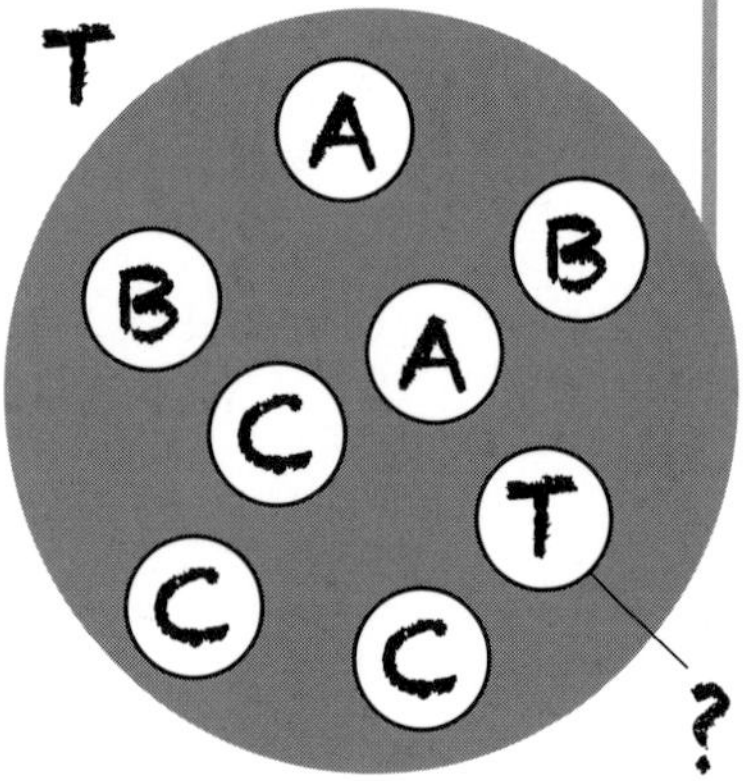

図2⬆“自分を含まない集合”の集合Tを想定したとき、Tは“自分を含まない集合”といえるか？

とりわけ問題とされたのが「**集合**」の分野である。集合とは、同じ性質をもつ要素の集まりのことだ。ところが、たとえば〝すべての集合〟を含む集合を考えたはずなのに、さらに大きな集合が現れることがある。また、だれかが**自身を含む集合について述べるとそこに矛盾が生じる**（図2）。たとえば、ある男――クレタ人ということになっている――が「クレタ人は嘘《うそ》つきだ」と主張した。この場合、あなたはそのクレタ人の言うことを信じるだろうか？ この言葉が真実ならそのクレタ人もまた嘘をついていることになる。もし嘘とすれば、クレタ人が嘘つきという彼の主張は嘘であり、クレタ人である彼もまた嘘つきではないことになる？？？

集合という概念がもつこうしたパラドックスは数学者たちをおおいに悩ませた。というのも、**集合はすべての数学の基礎をなす学問**とされていたからだ。★1

数学が直面したこの危機的な壁を乗り越えるため、ドイツの**ダフィト・ヒルベルト**は、矛盾が生じないようにこうした一連の公理（**公理系**）を再構築すべきと考えた。ここでいう公理系とは、ある数学の理論をつくる際にあらかじめ用意するひとそろいの公理のことだ。19世紀最後の年（1900年）にパリで開かれた数学者の国際会議で、ヒルベルトは数学上の「**23の未解決の問題**★2」を発表した（現在でも4つが未解決とされる）。彼はその第2の問題で「**数学の公理系に矛盾がないことを証明せよ**」と数学者たちに求めた。ヒルベルトは、数学者たちの力を結集して数学の危機に立ち向かおうとしたのだ。

己の矛盾を己で証明できない数学

多くの数学者がこの問題に挑戦しては敗れ去ったが、ついにその答を導いたのが冒頭のクルト・ゲーデルであった。それは素人にはちんぷんかんぷんな数式で示されていたが、他の数学者の解釈によれば、ゲーデルの答（理論）は、「**公理系は少なくともひとつは正しい（真《しん》）とも間違っている（偽《ぎ》）とも証明できない命題を含んでいる**」というものだった。

さらにゲーデルによれば、「**公理系はそれ自身によって**

自らに矛盾がないことを数学的に証明することはできない」というのであった。後に「**不完全性定理**」と呼ばれることになるこの理論は、ヒルベルトの第2問題は解決不可能であることを示す皮肉な結果になったのであった。

　ゲーデルは1906年に現在のチェコ（当時はオーストリア－ハンガリー帝国）で生まれ、ウィーン大学で数学を学んだ。まもなくイギリスの哲学者・数学者**バートランド・ラッセル**の影響もあり、彼は論理学を数学的に扱う「**数理論理学**」こそが物事の根本だと考えるようになった。

　第二次世界大戦が始まると、ウィーン大学で講師を務めていたゲーデルは身の危険を感じるようになった。当時、反ユダヤ主義をとるナチスドイツによってユダヤ人は公職を追放され、強制収容所送りとなっていた。ゲーデルはユダヤ人ではなかったが、多数のユダヤ人の友人がいたために敵視され、ユダヤ人と誤解され、ドイツ軍に徴集される恐れもあった。そこで彼は国外脱出を決意し、ロシアから日本を経由してアメリカに亡命、以降はプリンストン高等研究所で職を得て、平穏な生活を取り戻したかに見えた。

　だが数学者の悪夢であった不完全性定理を導いたゲーデルはアメリカでも悪夢を生きることになった。若くして精神疾患を発症し、長い年月を治療施設で過ごしながら研究を続けることになったのだ。年とともに彼のうつ病や妄想《もうそう》癖《へき》は深刻化し、食事の介助をしていた妻アデーレが病で倒れると、**毒をもられるという妄想**から何も口にしなくなった。1978年、彼はベッドに**座したまま餓死《がし》**した。71歳であった。■

図3 停止問題

➡難問に取り組むコンピューターは最終的に解答をはじき出して停止するのか？　それをあらかじめ知る方法はわれわれにはない――

図／十里木トラリ

用語解説

★1
数学でいう「集合」とは、ある決まった条件をもつ要素の集まりのこと。数学は論理に立脚した学問だが、あらゆる数学的な論理は集合の形に書き換えることができる。20世紀前半、数学者集団ニコラ・ブルバキなどがこれを示した。

★2
第8、第12、第13、第16が未解決。このうち第8問題は、素数の分布についてのリーマンの予想で、アメリカのクレイ研究所のミレニアム懸賞問題でも取り上げられた。ほかに部分的にしか解決していない問題もある。ちなみに解決済みの第1問題は連続体仮説（104ページ参照）で、不完全性定理によって証明できないことが明らかにされた。第10問題も停止問題（図3）ととらえた結果、証明できないことがわかった。

囚人のジレンマ／ゲーム理論

経済活動や外交での〝合理的な勝ち方〟を導く

囚人に苦渋の選択を迫る

ある深夜、友人どうしのAとBが路上をふらついていて警察官に呼び止められ、放浪罪容疑で逮捕された。警察はじつは彼らを2人組強盗事件の犯人とにらんでいるが、証拠不十分のため強盗容疑では起訴できそうにない。そこで検事は別々に収監《しゅうかん》されている2人を個別に呼び出し、アメリカの刑事捜査《そうさ》では日常的でありふれている〝**ディール(司法取り引き)**〟をもちかけた(**図1**)。

「もしキミが強盗を自供してキミの友人が黙秘《もくひ》すれば、キミは無罪放免、友人には懲役《ちょうえき》20年を求刑する。友人が自供してキミが黙秘すればその逆だ。だが2人とも自供すれば2人とも懲役10年だ。2人とも黙秘するなら2人とも放浪罪で微罪。どれでも選びたまえ」

さてAとBは、自供と黙秘のどちらを選ぶのが自分にとって最善の選択か?――このような状況で、経験や直感ではなく、**集合論や組み合わせ論という数学的手法を用いて最善の選択肢を探す方法が「ゲーム理論」**である。

ジャンケンやトランプ等々、どんなゲームでも、**プレーヤー(参加者)はたがいに、相手のとる手を予測しながら自分の手を決定する。**とくに将棋やチェスでは、相手の戦力を細かく分析し、指し得る手を何手も先まで予測し、その中でどう攻撃をしかけ、いかに守備を固めて相手の隙《すき》をつくかという戦術を立てながら駒を展開する。

こうした**ゲーム的戦略は実社会でもまったく同じ**である。企業や個人の経済活動、国家間の戦争、生物どうしの生存競争等々、**あらゆる競争や争いや取り引きはすべて〝ゲーム〟に見立てることができる。**後述するように、逮捕され

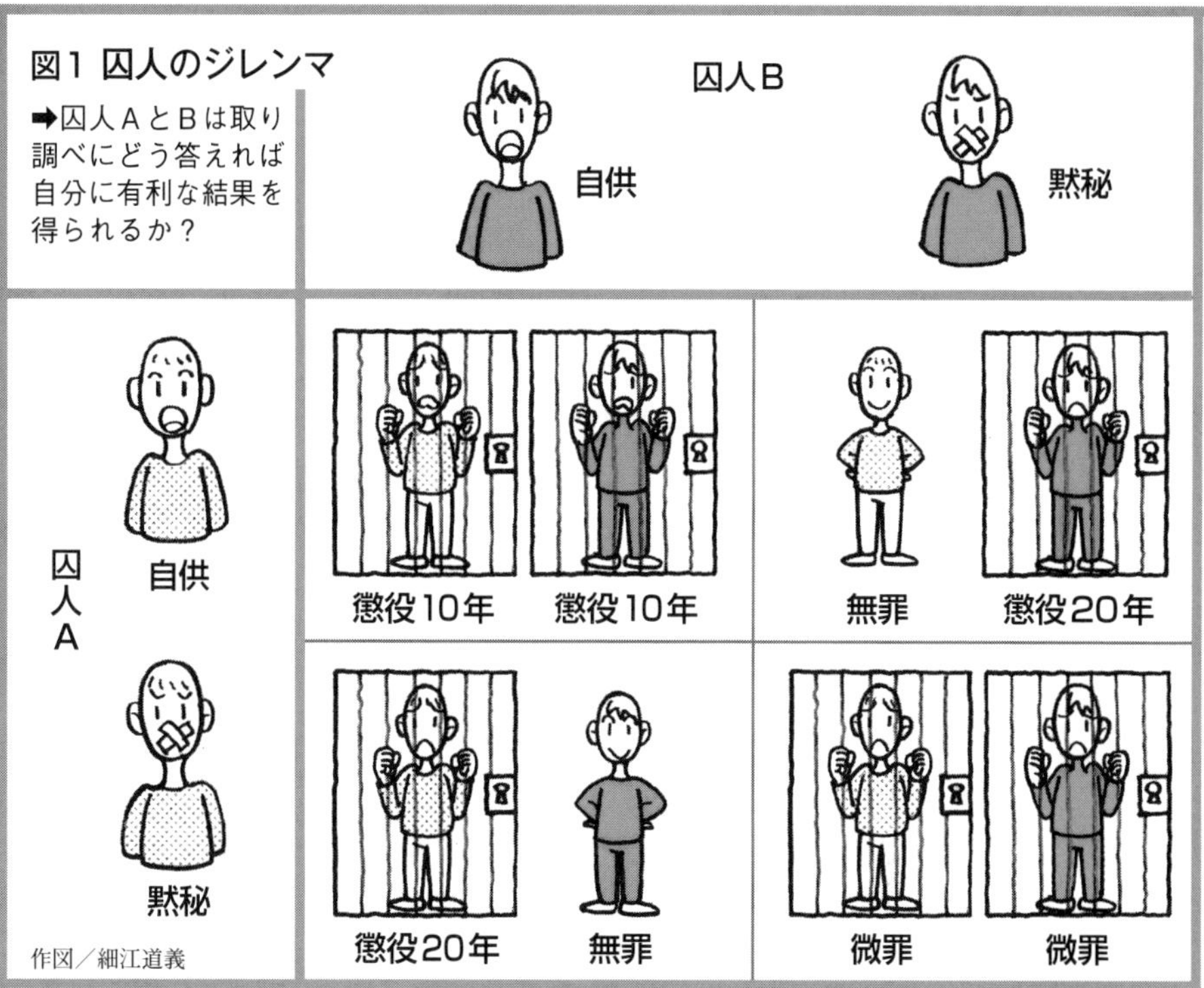
図1 囚人のジレンマ
➡囚人AとBは取り調べにどう答えれば自分に有利な結果を得られるか？
囚人B
自供
黙秘
囚人A
自供
黙秘
懲役10年
懲役10年
無罪
懲役20年
懲役20年
無罪
微罪
微罪
作図／細江道義

た2人がどの方針を選ぶかもゲーム理論の対象となる。

原爆開発学者のゲーム

ゲーム理論を考案したのは、20世紀最大の数学者と呼ばれるアメリカの**ジョン・フォン・ノイマン**（112ページ図2）である。彼は1944年に、『**ゲーム理論と経済行動**』と題する大著をオスカー・モルゲンシュテルンとの共著で発表した（3分冊の日本語訳が出ている）。

フォン・ノイマンはふつうの数学者とはかけ離れた異例の存在だった。彼はきわめて広範な分野で重大な政治的、社会的影響力を行使し、第二次世界大戦中のアメリカの**原爆開発**に大きく貢献し、また終戦間際に日本のどこに原爆を投下すべきか、その候補都市リストを作成した。

さらに、われわれがいま使用しているプログラム実行型のコンピューター（**フォン・ノイマン型コンピューター**）**の原理を考案**したことによって、その後の人間社会にとほうもなく大きな影響を与えた人物でもある。

フォン・ノイマンがゲーム理論をはじめて数式化した事例は「**ゼロサム（ゼロ和）ゲーム**」と呼ばれた。ゼロサムとは合計すればゼロ、という意味だ。そこではゲームのプレーヤーは2人で、一方が利益を得ると他方はそれがすなわち損失となり、双方の和はゼロとなる。たとえば将棋やチェスでは一方が勝利すると他方は敗北するので、これはゼロサムゲームのひとつである（**図3**の「ゲームの木」は、「展開型」と呼ばれるゲームの例）。

そこでゼロサムゲームでは、**〝いくつかの最悪の手のうちの最良の手を獲得すること〟が最上の選択**となる。つまり自分が最終的に損をすることがわかっているなら、さまざまな戦略の中の最悪を想定し、それらのうち損失が最小となる戦略を選択するということだ。

これは「**ミニマックス定理（ミニマックス戦略）**」と呼ばれる。「相手に単純に総どりはさせない、手元に多少は残すぞ」というものだ。

これに対して「**マキシミン原理（マキシミン戦略）**」というものもある。これは、自分の行為に対して相手が巧妙に動いたとしてもなお得られる自分の利益を比較し、その中で利益が最大となる行為を選択するものだ。これもまた最悪の中での最良の手を選ぶ戦略である。転んでもただ起きないを地で行く考え方だ。マキシミンは〝マクシマム・ミニマム〟（最小の中の最大）の意である。

では、もし競争・対立する両者がともにこれらの戦略をとったらどうなるのか？ 結果的に両者には、それ以上の利益をとれる可能性はないことになる。フォン・ノイマンはこのことを数学的に証明してみせた。われわれの日常生活や現実社会には、無意識のうちにこれらの定理に沿ったゲームを実践《じっせん》している事例が無数に存在する。

他方、プレーヤーが3人以上で、彼らの間に提携関係（協力）が存在する場合、そこで展開される競争・闘いは「**協力ゲーム**」によってシミュレーションできる。そこでは利益の配分方法や提携の安定性などの要素が個々のプレーヤーのとるべき戦略を決定する。いくつかの企業が業務提携する場合などは協力ゲームの典型となる。

さて、冒頭の2人の囚人がとるべき戦略をゲーム理論的に考察するとどんな結果が生じるか？

図2⬆ゲーム理論を生み出したジョン・フォン・ノイマンは20世紀最大の数学者とも呼ばれている。
写真／U.S. Dept. of Energy

図3 ゲームの木

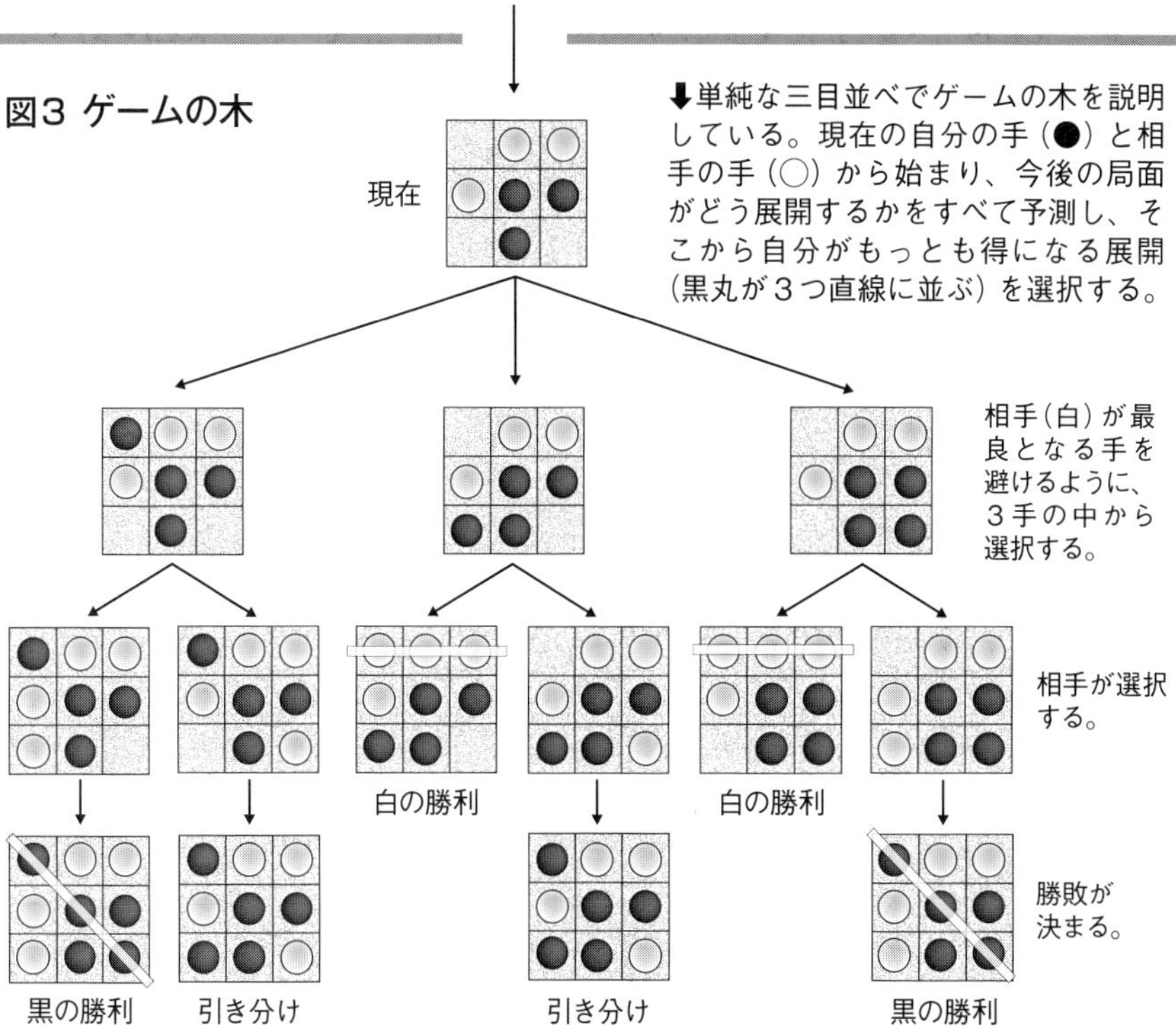
現在
相手（白）が最良となる手を避けるように、3手の中から選択する。
相手が選択する。
白の勝利
白の勝利
勝敗が決まる。
黒の勝利
引き分け
引き分け
黒の勝利

⬇単純な三目並べでゲームの木を説明している。現在の自分の手（●）と相手の手（○）から始まり、今後の局面がどう展開するかをすべて予測し、そこから自分がもっとも得になる展開（黒丸が3つ直線に並ぶ）を選択する。

どうしても最良の選択肢は存在しない？

111ページ図1に見るように、Aにとっては、自分が自供してBが黙秘すれば、自分は釈放される。しかしBにとってもそれは同じだ。そこで2人ともが、相手はきっと黙秘するだろうと予想して、自分は自供することを選ぶ。するとこの場合、2人ともが懲役10年を求刑されることになり、利益はなく損失だけが降りかかってくる。

実際にはこの状況では2人とも黙秘するのがあり得る最良の選択だが、2人は別々に留置されていて相談や口裏合わせはできないので相手の出方がわからない。つまり**どちらにとっても最良の選択肢が存在しないジレンマ（板ばさみ）の状況である。これが「囚人のジレンマ」**だ。

囚人のジレンマを現実社会で目にすることはむずかしくない。この状況下では、プレーヤーの行動は相手側に協力的か非協力的かのどちらかしかない。両方が協力すれば両方がそこそこの結果（利益）を得られるが、相手の行動が定まっているときには、こちらは非協力的に行動するほうが必ずよい結果を得られることになる。たとえば、関税や輸出入の規制などで報復合戦を続ける現在の**アメリカと中**

国の貿易戦争は、囚人のジレンマ状態にあると指摘する専門家もいる（筆者はそうは思わないが）。

ゲーム理論は本来、**人間の〝合理的な行動〟をシミュレーションするものだ**。いいかえると、たとえば精神に異常を来していて合理的な判断や行動を期待できないプレーヤーをゲーム理論で扱うことはできない。またあたりまえの人間でも、逆上や興奮、精神的動揺を来していては、ゲーム理論に逆行して自身に不利益な行動をとる可能性が高い。

とはいえ、企業の経済活動や国家の外交など冷静な判断力を要する場面ではゲーム理論はきわめて有効である。また生物の生存競争（**上コラム**）においてもその原理がはたらいていることが、これまでの研究で明らかになっている。■

COLUMN

進化論とゲーム理論

ゲーム理論は経済学に深く浸透しているが、同時に生物学、とりわけ進化論にも応用されている。この研究にいち早く踏み込んだのイギリスの進化学者ジョン・メイナード-スミス。彼は1982年に早くも『進化とゲーム理論（Evolution and the Theory of Games）』という本を出した。

ブルーギルは北アメリカ原産の淡水魚（**右図**）。**オスは２種類に分けられ、正常型は“家庭的”**で成熟に７年もかかる。だが成熟すると彼らは水底にメスが産卵したくなりそうな巣をつくる。メスがやって来て巣に産卵すると、このオスはそこに放精《ほうせい》（射精）して受精させ、やがてふ化した稚魚《ちぎょ》を懸命に育てる（メスは泳ぎ去って適当にやっている）。

ところが**もう１種類のオスは“非家庭的”な遊び人型**で、“泳ぐ性器”のような連中。ふ化からたった２年で成熟するので前記の家庭的な連中より優位に立っている。だが彼らは家庭をもつとか稚魚を育てることなど知らない。家庭的なオスのつくった巣にメスが卵を生みつけるまで物陰にひそんで待ち、メスが卵を産んだと見ると巣の持ち主より早くパッととび出して受精させる。

哀れなのは家庭的なオスだ。遊び人の子とも知らずにふ化した稚魚を守り、せっせと育てる。**これでは自分の子孫は残されず、遊び人の遺伝子が増大**してしまう。だがこれがいつも成功すればオスはみな遊び人になってしまい、だれも子孫を育てないのでブルーギルは絶滅してしまう。実際にそうならないのはなぜか？　それは既存の学説では説明困難だが、ゲーム理論なら次のように説明できる。

図／十里木トラリ

ある湖にN匹のオス（ゲームのプレーヤー）がいて、それぞれが自分の血を受け継ぐ多数の稚魚をメスに生ませたいと欲している。オスは家庭型か遊び人型かのいずれかを選ぶことができる。しかしその選択によって得られる利得は他のオスたちの選択に左右される。多くのオスが家庭型を選ぶなら、自分は遊び人になるのが最善の策（ゲームに勝てる“戦略”）である。不貞をはたらくチャンスが増えるからだ。だが多数のオスが遊び人になるなら多数の遊び人が物陰にひそむことは困難なので、家庭型が有利になる。

こうして**一方が増えすぎると他方を選択しようとする力がはたらき、全体ではバランスがとれて微妙な安定状態となる**。これはゲーム理論では「N人ゲーム」（プレーヤーが３人以上のゲーム）と呼ばれ、「**ナッシュ均衡《きんこう》**」と呼ばれる解と一致する。

この「進化的ゲーム理論」の研究では、昆虫や植物の生態、オスメスの比率などの問題にゲーム理論が用いられる。ただ、生物進化をすべてゲーム理論で解き明かせるということではない。本文で触れたように、ゲーム理論は状況や状態を理解する指針であり解答ではない。

確率論

鋭い直感と確率論、どっちの勝ち？

確率論の源流にいた博打うち

17世紀、フランスに**アントワーヌ・ゴンボー**という男がいた。彼はド・メレ卿《きょう》なる騎士《きし》を名乗っていたが本当の貴族かは怪しく、名うてのギャンブラー（博打《ばくち》うち）であった。1654年、彼は当時すでに有名だった数学者**パスカル**（**図1**）に、どうすればサイコロゲームに勝てるかを問うた。ゴンボーは2個のサイコロを24回振るゲームを好み、たいてい6のゾロ目（〝ダブルシックス〟）に賭《か》けていた。彼の見方はこうだ——2個のサイコロを同時に振ったときに6のゾロ目が出る確率は1／36、したがって24回振れば24／36となり、ゲームを3回行えばうち2回は勝てるはずだというのだ。ところがゴンボーはむしろ負けが込んでいた。彼はその理由がわからず、賭場《とば》で知り合ったパスカル（若い頃に賭場通いをしていた）に意見を求めたのだ。

サイコロの
“目”の出る確率は
単純な足し算では
導くことが
できない。

図1
←パスカル。

ゴンボーに問われたパスカルはすぐに計算を始めた。パスカルによると、サイコロの〝ある目〟が出る確率は、ゴンボーが考えたような単純な足し算では導くことができない。**最初の目から最後に出る目までのすべての組み合わせを計算しなければならない**というのだ。しかし、たった2個のサイコロを2回振るだけでも、そこから1296通りの組み合わせが生じる。24回も振れば、そこに出る目の組み合わせは約2・25×10^{37}乗、つまり20兆×1兆×1兆通りを上回る文字通り天文学的数字となる。

このとき、**6のゾロ目がいちども出ない確率**は35／36を24回かければ計算できる。大変な作業だが、その答は50％を上回る。ということは、逆に6のゾロ目が最低1回出る確率は50％に達しない。ゴンボーが賭けに思うように勝てなかったのも当然だ。ゴンボーはこの結果を聞いてカッとなり、パスカルに「あんたの計算は間違いだ」とののしった。

パスカルの探求はさらに続いた。彼はゲームを途中でやめた場合の掛《か》け金の分配方法も相談されていた。これは少々複雑であったため、パスカルは別の数学者**ピエール・**

ド・フェルマーに手紙を書き、2人の間でこの問題の解答をめぐってやりとりした。こうして博打うちの抱いた疑問がきっかけとなり、2人の数学者による「ある現象が起こる確率」の研究が始まった。「**確率論**」が誕生したのである。

彼らはこの問題を解くには、ゲームの局面であり得るすべての可能性——100兆通りであれ1000兆通りであれ——を数え上げる必要があると考えた。そしてそれらの可能性のうち、賭けの参加者が最終的に勝つ回数をそれぞれ導き出す。この勝利の確率によって掛け金を分配するというものだった。いまでいうなら、宝くじを何枚か買ったときに期待できる賞金額の計算に似ている。

テレビのゲーム番組が大問題になったわけ

人間の直感と数学的確率がずれることは少しもめずらしくない。なかでもあまりにも奇妙で数学者まで論争に巻き込んだのが、1960年代にアメリカのテレビ番組で扱われた「**モンティ・ホール問題**」と呼ばれるゲームだ（**図2**）。

問題は単純で、司会者モンティ・ホールが出場者に3つの選択肢からひとつを選ばせるものだ。テレビスタジオには3つのドアが並んでいる。ひとつは〝当たり〟で、ドアのむこうに新車か別の高額商品がおかれている。他の2つのドアは〝はずれ〟で、ヤギなどがいる。出場者がひとつのドアを選ぶと、モンティ・ホールは残り2つのうち〝はずれ〟のドアを開ける。そして出場者に「別のドアを選んでもOK」と告げる。ではこの場合、**出場者は自分の選択を捨てて別のドアに変えるべきか**否か？

ふつうに考えると、ひとつのドアが開けられヤギが現れた時点で、残る2つのドアのむこうに新車が存在する確率はともに1／2であるはずだ。つまりドアの選択を変えても変えなくても確率は変わらない。

ところが1990年、週刊誌の女性コラムニストで〝もっとも知能の高い人間〟として知られた**マリリン・ヴォス・サヴァント**が、**出場者が最初の選択を変えれば、新車獲得《かくとく》の確率は2／3にはねあがる**と指摘した。

出場者が最初に選んだドアをAとすると、Aに新車がある確率は1／3。ここでBのドアが開いてヤギが現れたのだから、Bに新車がある確率は0。とすると残りのドアCに新車がある確率は、1（100％）からAの確率

用語解説

★1
サヴァントはこの問題について、ドアが100万枚あり、出演者の選んだドアと高額賞品のあるドアを除いて、すべてのドアを司会者が開けた場合と同じと述べている。

	Aが高額商品の場合	Bが高額商品の場合	Cが高額商品の場合	
出場者が最初に選択するドアはA	A B C 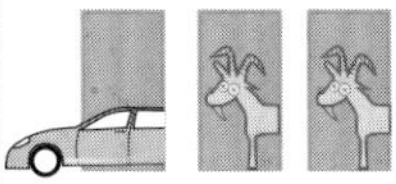	A B C 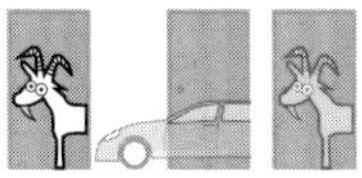	A B C 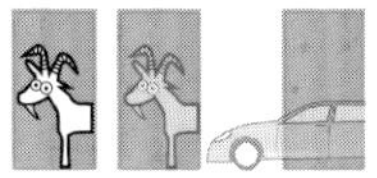	
司会者モンティが開けるドア	BまたはC	C	B	
出場者がドアを選び直さない場合	勝ち（高額商品を獲得）	負け（ヤギ）	負け（ヤギ）	勝つ確率 $\frac{1}{3}$
出場者がドアを選び直した場合	CまたはBに変更 ⬇ 負け（ヤギ）	Bに変更 ⬇ 勝ち（高額商品を獲得）	Cに変更 ⬇ 勝ち（高額商品を獲得）	勝つ確率 $\frac{2}{3}$

図2 ⬆出場者がドアを選び直したときに高額賞品を得る確率は…？

1／3を引けばよいので2／3となる。

この問題で注目すべきは、モンティ・ホールが必ず「出場者が選んでいないドア」を開ける点だ。★1

サヴァントの指摘には多くの反論が寄せられた。同様の問題は数学では以前から知られていたにもかかわらず、有名大学の数学者や博士号をもつ1000人もの人々が〝マリリン・サヴァントの間違い〟を指摘したのだ。彼女はこれに対し、学校の授業で実験したらどうかと提案した。

多くの小中学校でこの問題が取り上げられ、教師たちの驚いたことにサヴァントの正しさが確かめられた。最後まで納得しなかった人々を沈黙《ちんもく》させて問題を決着させたのは、**ロスアラモス国立研究所**の実験であった。彼らはコンピューターで100万回も試行し、ドアを変えれば66・7％、すなわち2／3の確率で賞品が当たることを示したのだ。

がん検査で陽性と告げられたとき

実生活でもいたるところに確率は現れる。その多くはいま見たような数学的確率ではない。さまざまな情報を**統計して求めた経験的確率**や**モデル計算による確率**である。

天気予報に登場する「**降水確率**」は、ある地域のその時間帯に1ミリ以上の雨が降る確率をいう。これも天候の統計から求められたものだ。過去のよく似た天気図でその地域が100回中70回雨なら降水確率70％と予報される。しかし天候は場所によって大きく異なり、降水確率50％といってもたいてい平野部より山沿いのほうが頻繁《ひんぱん》に雨が降る。つまり**統計的確率では全体の傾向は把握《はあく》できるが、狭**

い地域や個々の現象にはあてはまらない。

がん生存率も同じだ。**胃がんの5年生存率**は65%とされているが、**個々の患者が5年後に生存している確率が65%という意味ではない**。がんは患者によって大きさも性質も異なる。そのため進行速度や薬の効きやすさ、転移のしやすさなども大きく違う。さらに患者の体力や体質、持病、どんな治療を選択するかも治療効果を左右する。つまり5年生存率はひとつの目安でしかない。5年生存率65%とは、多くの患者の調査結果で、初診（最初にがんと診断されたとき）から5年後に生存していた患者の割合が100人中65人ということにすぎない。

こうした統計的確率では**対象となった集団の大きさ**も問題となり、集団の大きさを無視して生じる勘違《かんちが》いはめずらしくない。たとえば1万人に1人が発症する**病気の簡易検査**があるとする。この検査では結果が病気でない（陰性《いんせい》）と出ればたしかに病気を発症していないが、逆に陽性と出た場合の信頼度は99%、つまり陰性にもかかわらず陽性と判定される人が100人中1人いることになる。こう聞くと、簡易検査で陽性とされた人は「自分は病気だ」と思いがちだが、これも正しくない。

10万人が検査を受けると、そのうち病気と予想されるのは10人。しかし検査の精度は99%なので、病気でない人9万9990人のうち1%、約1000人は誤って陽性と判断される。つまり**精度が99%の検査で陽性になっても、1万人に1人が発症する病気なら、本当に病気である確率は1%**にすぎない。★2

このように統計的確率は、**何に対する割合か**、**もとの集団に偏《かたよ》りがないか**などが明らかでなければ、**簡単に人をだます**ことになる。テレビCMでよく見る〝商品のリピート率95%〟などのたぐいも、おもにその商品を何度も買った人へのアンケート結果なので、低いリピート率が出るはずがない。**統計のウソ**の典型である。

大地震と人間の死亡率の関係

用語解説

★2
新型コロナウイルスに対するPCR検査でも、同様の問題が生じる。感染者を陽性と判定できる確率を70%、また未感染の人に陽性という検査結果が出る確率は1%とする。ここで人口10万の都市で0.1%が感染している場合、感染者100人のうち70人が正しく陽性と出る。他方で、非感染者9万9900人のうち999人には間違って陽性という結果が出る。つまり、陽性結果の90%以上が未感染者である一方、感染者30人が見逃される。このように感染収束時は検査に信頼性がなくなるため、一般に感染者との接触がない無症状の人には検査は行われない。

数学的な理論モデルで確率を求める実例に**大地震の発生確率**がある。**地震の震源地域（断層《だんそう》）**について、過去の地震発生の記録、周辺の地殻《ちかく》の性質や力のかかり具合、地表が隆起または沈降《ちんこう》しているか、プレート（地球をおおう岩《がん》盤《ばん》）がどのくらい移動しているかなどを調べる（46ページ参照）。これらの情報を**地震発生の理論モデル**にあてはめ、

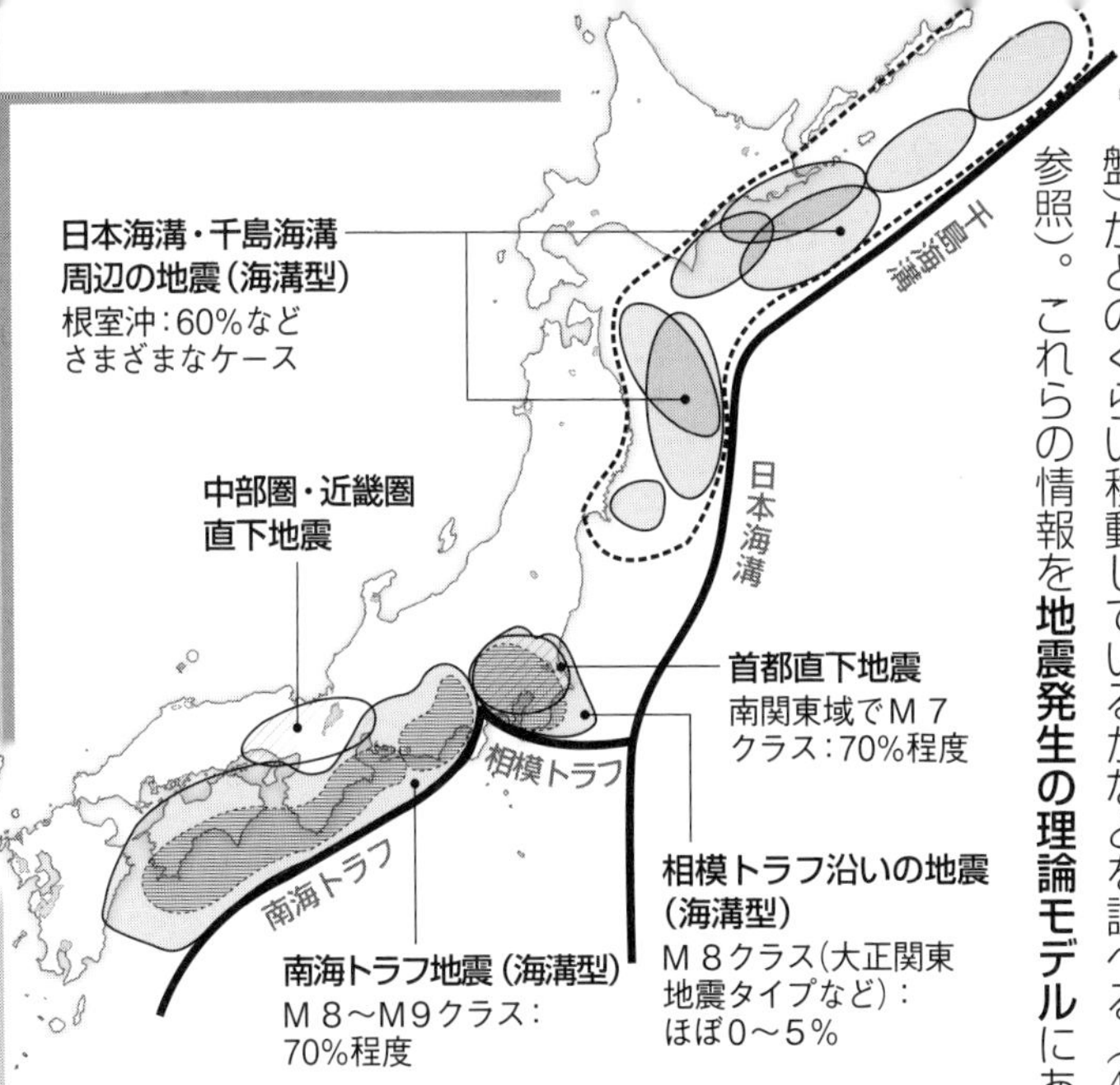
日本海溝・千島海溝
周辺の地震（海溝型）
根室沖：60％など
さまざまなケース
千島海溝
日本海溝
中部圏・近畿圏
直下地震
首都直下地震
南関東域でM７
クラス：70％程度
相模トラフ
相模トラフ沿いの地震
（海溝型）
M８クラス（大正関東
地震タイプなど）：
ほぼ0〜5％
南海トラフ
南海トラフ地震（海溝型）
M８〜M９クラス：
70％程度

図３⬆日本各地で大地震が30年以内に発生する確率を示したもの。しかし2016年の熊本地震のように、発生確率１％でも地震が起こることがある。　資料／地震調査研究推進本部

発生確率をはじき出す。その結果、「30年以内にその断層で大地震が起こる確率は50％」などと発表される（**図３**）。

だがこれは単なる目安である。地震はつねに同じ状況で発生したりしない。というより、地球の地殻は日々変化しているので、**過去の地震と同じ状況になることはあり得ない**。また、ここまで地殻にひずみがたまったら地震が発生するなどという水の沸点のような明確な指標もない。

しかも大地震は周期が100〜1000年以上であることが少なくない。1000年周期で巨大地震が発生する断層で前回の地震が700年前なら、理論的な発生確率は小さいとされる。だが確率が小さいから地震が起こらないわけではなく、それは今日明日にも起こるかもしれない。実際近年の**大地震はどれも予知されていなかったか発生確率が低いとされていた**。つまり**地震発生の理論モデルは実用上はまったく役に立たない**。

確率はめんどうでやっかいである。19世紀イギリスの小説家エドワード・ブルワー＝リットンは「**運命は確率を笑う**」と書き残し、日本のある数学者は「**あなたが死ぬ確率は100％だ**」と言った。われわれ全員の行き着く先には、確率とは無縁の死のみが待っている。■

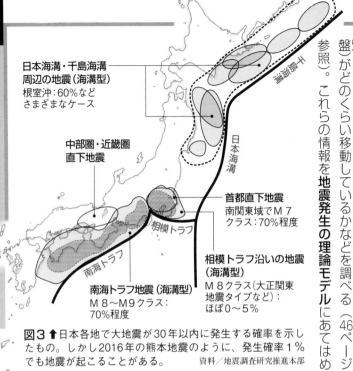

好況・不況を予言する「コンドラチェフ曲線」

技術革新が生み出す景気の50年サイクル

なぜ景気は循環するのか？

貧乏人も金持ちも、そのどちらでもないふつうの人も、ほぼすべての人間がつねにある問題を気にしている。それは、自分自身や自分のはたらく会社、産業界、そして自国の景気や財政状態が良いか悪いかをである。

当然といえば当然である。ふところ具合が悪ければ自分の日々の生活はつらく不安に満ち、ふところが暖かければさしあたり人生は好調のように思えるからだ。

景気とはすなわち経済活動が活発かどうか、わかりやすくいえば金や物資が十分に社会を循環しているかどうかである。しかし過去をふり返るまでもなく、景気は、

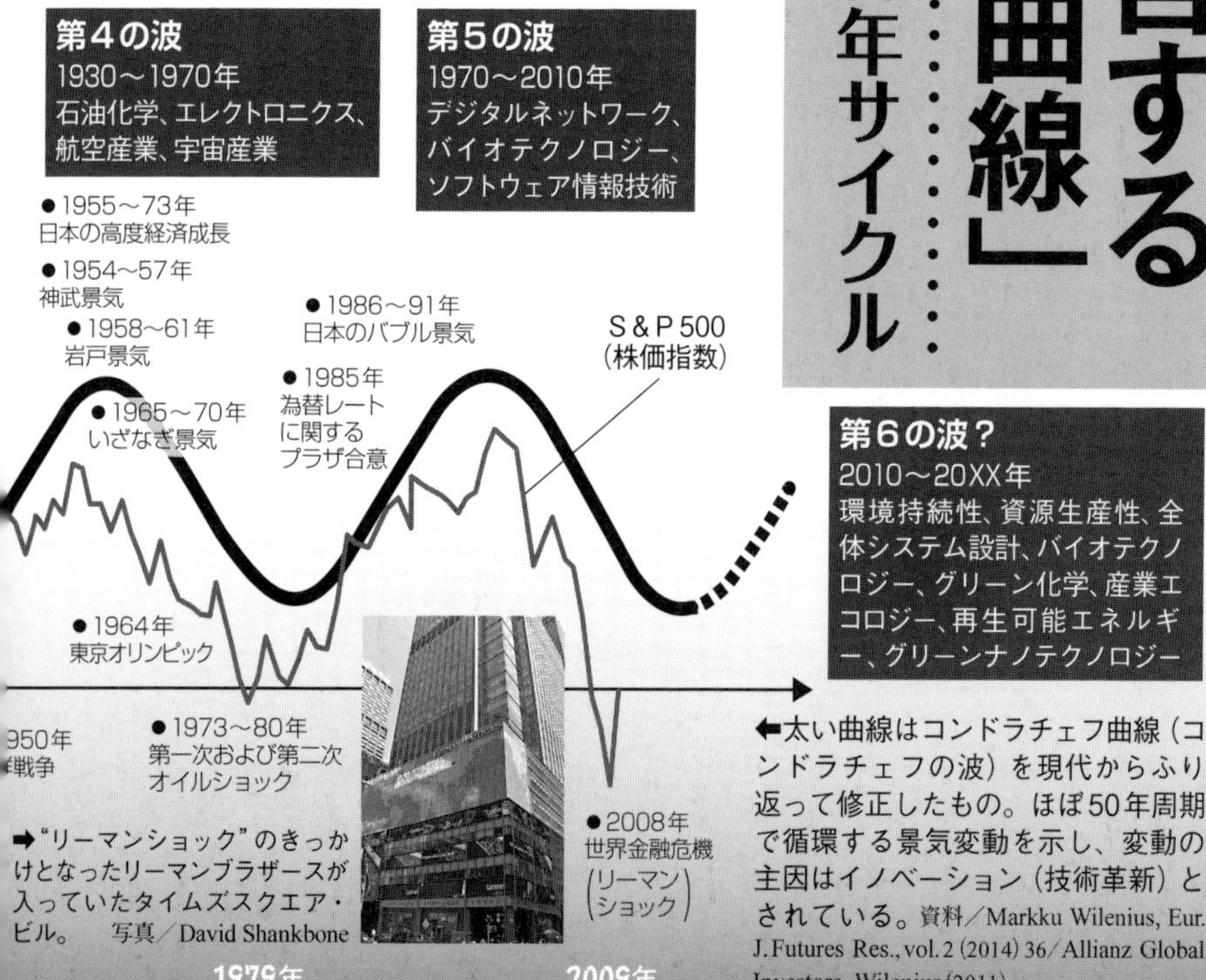

第4の波
1930～1970年
石油化学、エレクトロニクス、航空産業、宇宙産業
第5の波
1970～2010年
デジタルネットワーク、バイオテクノロジー、ソフトウェア情報技術
●1955～73年 日本の高度経済成長
●1954～57年 神武景気
●1958～61年 岩戸景気
●1965～70年 いざなぎ景気
●1986～91年 日本のバブル景気
●1985年 為替レートに関するプラザ合意
S＆P 500（株価指数）
第6の波？
2010～20XX年
環境持続性、資源生産性、全体システム設計、バイオテクノロジー、グリーン化学、産業エコロジー、再生可能エネルギー、グリーンナノテクノロジー
●1964年 東京オリンピック
950年
戦争
●1973～80年 第一次および第二次オイルショック
●2008年 世界金融危機（リーマンショック）
1979年
2009年

➡“リーマンショック”のきっかけとなったリーマンブラザースが入っていたタイムズスクエア・ビル。　写真／David Shankbone

⬅太い曲線はコンドラチェフ曲線（コンドラチェフの波）を現代からふり返って修正したもの。ほぼ50年周期で循環する景気変動を示し、変動の主因はイノベーション（技術革新）とされている。資料／Markku Wilenius, Eur. J. Futures Res., vol. 2 (2014) 36／Allianz Global Investors, Wilenius (2011)

好況・不況を予言する「コンドラチェフ曲線」

個人や企業であれ国家であれ、たえず変動している。**好景気を謳歌《おうか》していたかと思えば不景気に沈む**。第二次世界大戦（太平洋戦争）に敗北して文字通りの廃墟《はいきょ》と化した日本は、その後驚くべきスピードで経済発展を遂げた。途中で**〝なべ底景気〟や〝オイルショック〟などの経済沈滞を経験しながらも**、大きく見れば世界史的にもまれな経済成長を続けた。それはあるときには〝**神武《じんむ》景気**（神武天皇以来の好景気）〟であり、またあるときは〝**天《あま》の岩戸《いわと》景気**（神武景気をも上回る好景気）〟であった。

そして**1980年代後半にはついに〝バブル経済〟が出現**して世界を仰天《ぎょうてん》させた。バブル、すなわち中身のないシャボン玉か石鹸《せっけん》の泡のごとき景気である。日本列島の地価を合計するとアメリカ大陸のそれを上回り、日本社会には上から下まで文字通り金があふれた。だが**90年代に入ったとたんにバブルは破裂して消滅**、それ以後の終わりなきかのごときデフレーション経済（物価下落と経済収縮）もまた絵に描いたかのようである。

こうした経済の上昇と下降、好景気と不況の交代は、多かれ少なかれ世界各国共通の現象である。経済学ではこうした現象を「**景気循環**」と呼ぶ。

図1 コンドラチェフ曲線

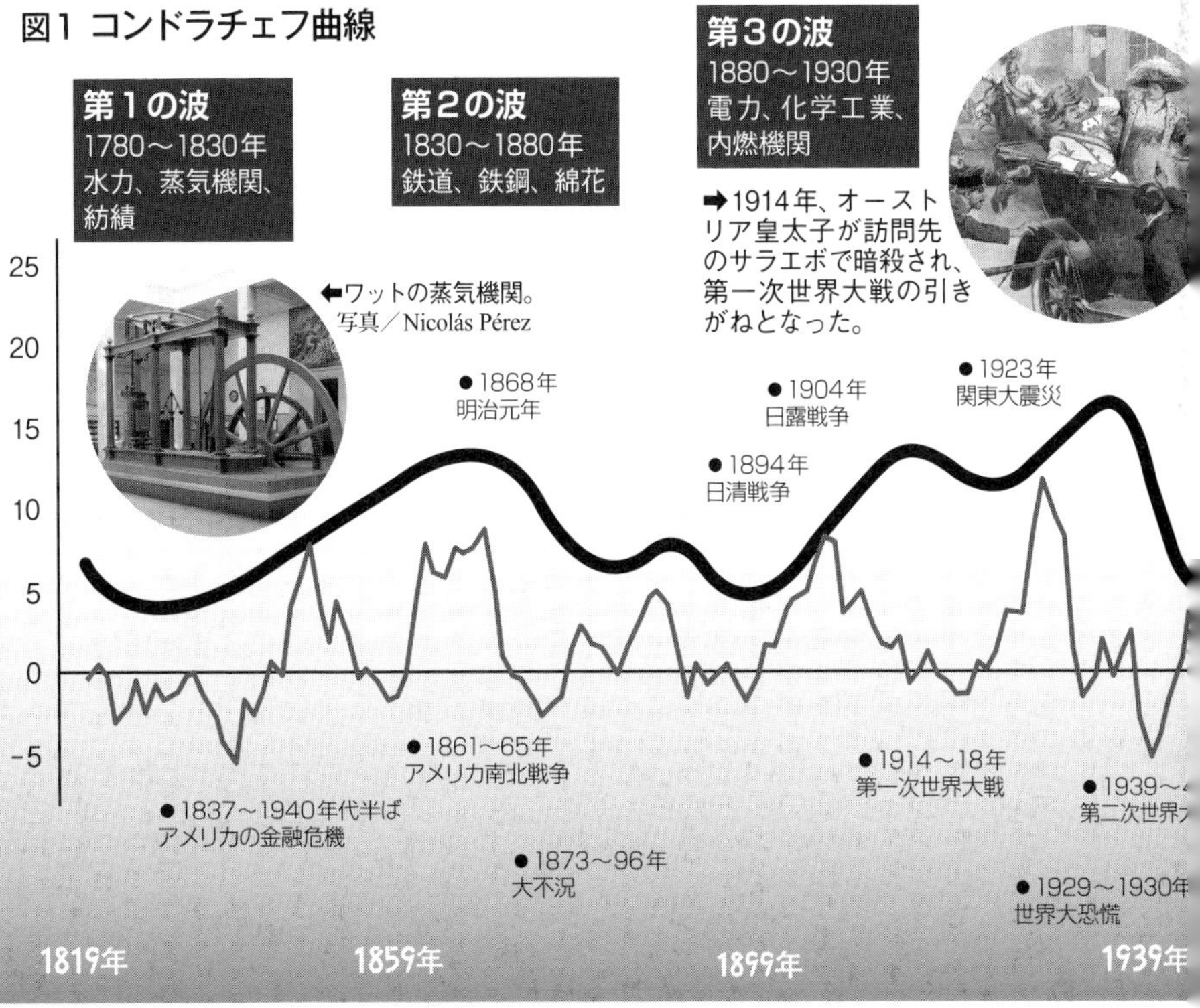

第1の波
1780〜1830年
水力、蒸気機関、紡績
第2の波
1830〜1880年
鉄道、鉄鋼、綿花
第3の波
1880〜1930年
電力、化学工業、内燃機関
➡1914年、オーストリア皇太子が訪問先のサラエボで暗殺され、第一次世界大戦の引きがねとなった。
⬅ワットの蒸気機関。写真／Nicolás Pérez
25
20
15
10
5
0
-5
●1868年 明治元年
●1904年 日露戦争
●1923年 関東大震災
●1894年 日清戦争
●1861〜65年 アメリカ南北戦争
●1914〜18年 第一次世界大戦
●1837〜1940年代半ば アメリカの金融危機
●1873〜96年 大不況
●1929〜1930年 世界大恐慌
1819年
1859年
1899年
1939年

しかし**なぜ景気は循環するのか？**　この循環の周期と原因を理論化した「**景気循環理論**」はいくつもあるが、ここではもっとも有名でわかりやすい「**コンドラチェフ循環（コンドラチェフ曲線）**」に注目する。

図2⬆景気循環理論を提出したコンドラチェフ。スターリンによって処刑された。

コンドラチェフはなぜ スターリンに処刑されたか？

この理論名は、19世紀生まれのロシアの経済学者**ニコライ・コンドラチェフ**（**図2**）に由来する。ただしコンドラチェフ循環の命名者は、20世紀オーストリアの経済学者**ヨーゼフ・シュンペーター**（**図3**）である。

20世紀はじめ、コンドラチェフはひとつの経済モデルを提出した。それは、「（西欧型の）**資本主義経済は50～60年の周期で好況と不況をくり返す**」というものだ（121

図3➡「コンドラチェフ循環」の命名者ヨーゼフ・シュンペーター。

図4　短周期の景気循環

⬇21世紀に起こった世界的経済危機は、短期的、中期的、長期的な景気循環の波（不況期）が重なったときに発生したことを示すグラフ。

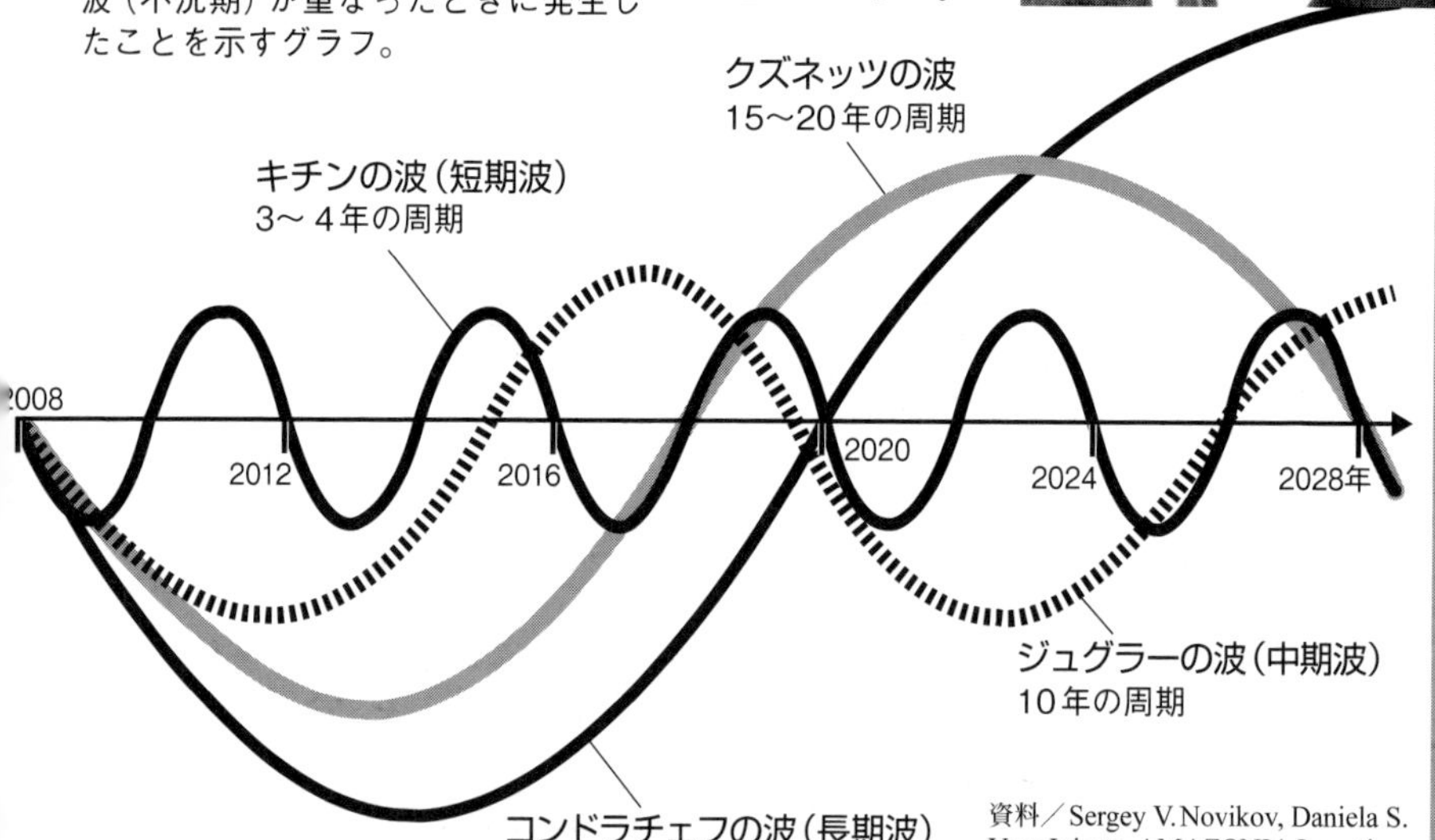

クズネッツの波
15～20年の周期
キチンの波（短期波）
3～ 4年の周期
2008
2012
2016
2020
2024
2028年
ジュグラーの波（中期波）
10年の周期
コンドラチェフの波（長期波）
50～60年の周期

資料／Sergey V. Novikov, Daniela S. Veas Iniesta, AMAZONIA Investiga, vol. 8 (2019) 3

ページ**図1**）。この周期の長さはおおむねだが、経済学の世界では〝**長周期**〟ということになる。というのも、**短周期**の景気循環理論として「**キチンの波**」「**ジュグラーの波**」「**クズネッツの波**」などがあるからだ（**図4**）。

図5⬆大恐慌のさなか、銀行閉鎖後に現金の代わりに発行された仮証券（スクリップスマネー）の焼却を見守るアメリカ人。

写真／U.S. National Archives & Records Administration

コンドラチェフの波は好不況の循環になぜ長周期を予想したのか。またそこからはたして将来の好景気や不況を予測することができるのか？

コンドラチェフが経済学者として活動したのは20世紀前半、つまりロシア帝国（ロマノフ王朝）が**ロシア革命**によってソヴィエト連邦（ソ連）となり、マルクス＝レーニンの共産党独裁国家となってまもない時代である。そのような時代にあってコンドラチェフは、**社会主義・共産主義経済との比較**により、西欧的な**資本主義経済**をむしろ客観視できた。実際彼は、この研究によって国際的に著名な経済学者となった。

コンドラチェフは西欧の資本主義経済を過去にさかのぼって研究し、そこにある法則性を見いだした。それは、資本主義経済はある時期に急速に成長発展して好況が続くが、その後停滞して今度は不況となり、また成長発展して好況になるというパターンのくり返し、つまり**景気の循環**をともなうというのだ。彼はそのような循環が起こる原因を研究し、以下のような結論を引き出した。

近代のヨーロッパ経済が最初に急成長をはじめたのは18世紀末からの約50年間で、これは**水力や蒸気機関、それに**

紡績《ぼうせき》技術の出現が牽引《けんいん》した好況であった（第一次産業革命）。だがこれらの技術が普及して飽和《ほうわ》状態になると、経済成長は停止して不況が到来した。その後、**蒸気機関が新たに鉄道や蒸気船の動力となり、電信や製鉄が登場するとヨーロッパはふたたび好況となり**、それは19世紀末まで続いた後、ふたたび大不況に襲われた。

　ついで出現したのが**電気工学**、**内燃機関**、**化学工業**、**それに大量生産の時代**である。アメリカではフォードやゼネラルモーターズによる自動車の大量生産などが国家経済をとほうもなく押し上げ、人々は贅沢《ぜいたく》な生活に酔い、「**この好景気は永遠に続く**」と信じ込んだ。

　だが第一次世界大戦後の1929年、**株価の大暴落（〝暗黒の木曜日〟）に始まる「世界恐慌《きょうこう》」**が起こると、それは全世界に連鎖《れんさ》的に広がった（**図5**）。各国政府がどんな経済政策を打ち出しても大不況から抜け出せず、結局世界は**第二次世界大戦**へと突き進んだ。そして戦後の荒廃《こうはい》からの復興がまたも世界経済を成長軌道に乗せることになった。

資本主義と共産主義の持続性

　こうして見るとたしかに、新しい産業技術が登場した後数十年間、経済は活況を呈し、その技術が飽和したときに不況が訪れるパターンをくり返しているようではある。だがそのくり返しの時間的長さは不確実だ。そこで、単なる**イノベーション（技術革新）とは別の要因や短い周期に注目する循環理論**として、前記のキチンの波やジュグラーの波、クズネッツの波などが唱えられたのである（21世紀のいま世界を襲っている〝**新型コロナウイルス不況**〟がどのような経済循環を生み出すのかはさしあたり不明だが）。

　若くして世界的評価を得たコンドラチェフだったが、彼はその後の1938年、スターリン政府に逮捕され銃殺刑に処せられることになった。スターリンがコンドラチェフを粛清《しゅくせい》した理由――それは「資本主義経済は不況に陥ってもまた回復して好況になる」とする**彼の理論が資本主義の持続性を予言し、〝反マルクス＝レーニン主義的〟とされたため**だ。ソ連の独裁的指導者が依拠《いきょ》していたマルクス＝レーニン主義によれば、資本主義は一時的に発展するが、その後**必然的に〝共産主義へと進化する〟はず**である。実際カール・マルクスはその大著『**資本論**』でそう予言した。コンドラチェフの理論はそれを否定したため国家反逆《はんぎゃく》罪に問われたのだ。48年の命であった。■

マルサスの「人口論」

人口は食物さえあれば幾何級数的に増加する

空想的社会主義の否定

２０２０年、**世界の人口は約78億人**である。このまま増加するなら、**２０５０年には１００億人**に達するかもしれない。他方、日本をはじめとする**一部の先進国や新興国では急速な人口減少や少子化**が起こっており、その国の将来の経済に与える影響が悲観視されてもいる。よく日本の人口減少が問題になるが、たとえばソ連崩壊後のロシアのように、20年間で５００万人以上減少した例もある。

人口はその国の経済だけでなく、周辺諸国や世界の経済を考える上で重要な基礎データとなる。国民全員の生活が成り立つためにはどの程度の生産力が必要であり、それをどう配分・消費すればよいか――こうした問題はすべて人口をもとに算出されるからである。

人口の問題を世界ではじめて深く論じたのは、イギリスの経済学者**トーマス・マルサス**（１７６６～１８３４年。**図１**）である。マルサスはケンブリッジ大学に学んだ後ある教会の副牧師となり、ついで東インド会社系の大学の教授となって近代史と経済学を講じた

図１⬆トーマス・マルサス。

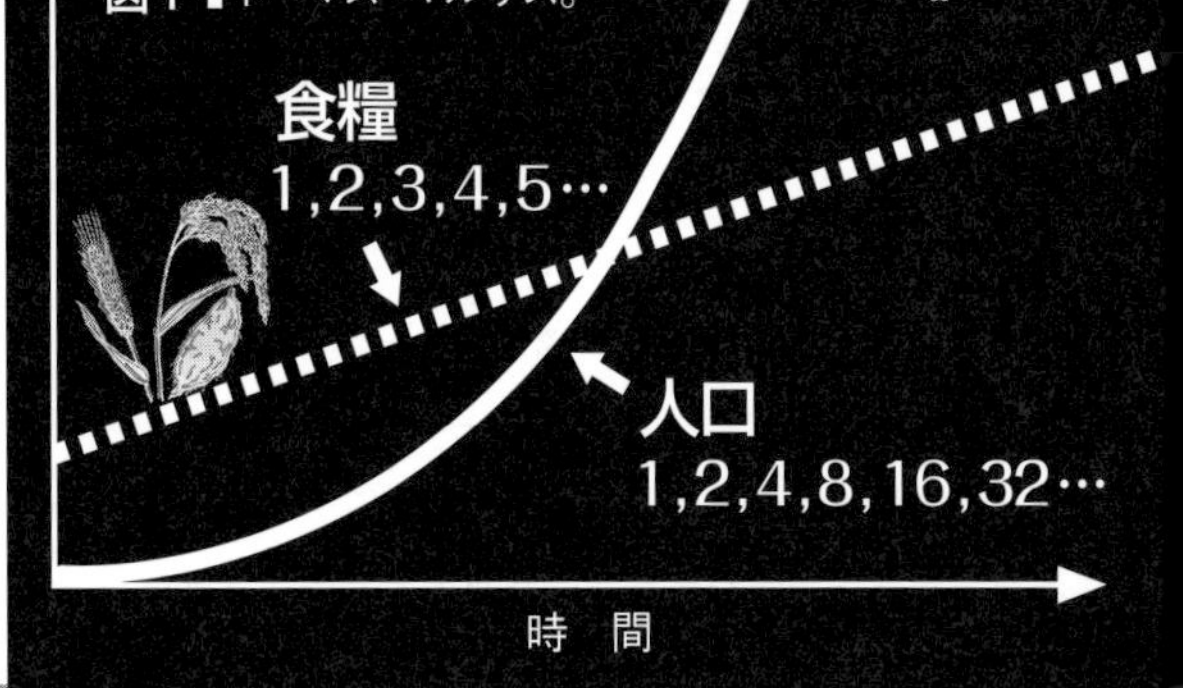

図２➡マルサスの『人口論』の主張をグラフ化した。彼は「人口は幾何級数的に増えるが食糧供給は算術級数的にしか増えないので、いずれ天災、飢餓、病気、戦争などの破滅的結末を招く」と述べた。

（当時インドはイギリスによる植民地化の途上にあった）。

マルサスの有名な著作『**人口論**』の初版は1798年に匿名《とくめい》で出版されたが、その長々しい原題に出版の動機が現れている。それは『人口原論についての一考察―ゴドウィン、コンドルセ両氏その他の著者の論考への言及をまじえて将来の社会改善への影響を考える』というものだった。

彼らは、「貧困や犯罪は制度や環境によって生じるので、人間の知性や進歩や理性の発達によって富と労働の不均衡《ふきんこう》は排除され、理想社会が実現するだろう」と主張した。いまから見れば**空想的社会主義の予言**である。

ゴドウィンは〝無政府主義〟の元祖、コンドルセは社会学のパイオニアである。

だがマルサスは『**人口論**』**の中でこれらすべてを批判し否定した**。そして、人間が生きるには食物が必要であり、**男女の情欲は将来も現状のまま続くという前提**で、独自の現実主義的な主張を展開した。

彼は「**貧困や犯罪は、人口の増加と生存に必要な物資の増加の間に不均衡が生じるために起こる**のであり、社会制度のせいではない。これらはむしろ**自然法則のなせる業《わざ》**だ」と主張し、理想社会を実現するという考えは空想でしかないと説いた。そして、「**貧困や犯罪の原因が自然法則にある以上、政治的支配者はこれらの問題に何ら責任を負わない**」として支配者の立場を擁護《ようご》した。

結婚を遅らせれば人口は減る

人口についてのマルサスの主張は3点に要約される。

①人口は食糧によって制限される、
②有効な措置《そち》によって人口増加を抑えなければ、食糧生産が増えるところでは必ず人口も増える、
③人口増加を抑えて食糧生産と同一水準に保つ手段は、道徳的抑制、犯罪、または困窮《こんきゅう》のいずれかである。

これらを換言《かんげん》すれば、『人口論』のもっとも有名な主張にたどり着く。つまり「**人口は、食物の量に制限されなければ幾何級数的に（爆発的に）増加し、他方、土地による食物生産は算術級数的に（ゆるやかに）しか増加しない**（125ページ**図2**）。両者の開きは必ず生活水準の低下と貧困を招く」とする結論である。

そしてマルサスは、この**人口と食物との不均衡を取り除くことができるのは天災か病気か戦争、または飢饉《ききん》**のどれかであり、人口が抑えられるとしたらこれらのはたらきに

よるものだと説いた。

マルサスはこの書の第2版で、「**人為的《じんいてき》に人口増加を抑える法**」について書いている。それは、天災や病気、戦争、飢饉の代わりに「**結婚の時期を遅らせる**」というもので、彼はこの「道徳的抑制」によって人口を人為的に抑制できると書いている。

マルサスのこの著作は出版当時、人間社会についてのあまりに悲観的な内容ゆえに、「『人口論』は読まれずして罵《ば》倒《とう》される」とまで評された。だがこの書が存在したからこそ、その後、人口問題をより重視するさまざまな経済思想や経済学への道が切り開かれた。**マルサスはイギリスの古典派経済学の先導者、近代経済学の先駆者**だったのだ。

ちなみに、マルサスと同時代のイギリス人で「進化論」（54ページ参照）によって世界に知られることになるチャールズ・ダーウィンは『人口論』に大きな刺激を受けたとされている。ダーウィンの「適者生存」という見方は人口論の主張をヒントに生まれたというものだ。

「マルサスの罠」は否定された？

たえざる人口増加が食糧増産のペースを上回り、それによって人口増加が抑えられるとする見方は「マルサスの罠《わな》」と呼ばれたが、これはいまでは否定されている。

マルサスがこの本を書いた18～19世紀には、自然条件の制約のために食糧生産用の農耕地が限られていた。だが21世紀のいまでは、エネルギー革命や輸送技術の進歩によって地上の農耕面積を3次元的に、つまりビル内での立体農耕や垂直農法へと拡張することができる。これは人口増加に合わせた食糧増産の手法であり、マルサスの罠が技術によって乗り越えられることを示している。

話は冒頭に戻るが、では日本をはじめ多くの先進国で近年出生率が急低下して人口が減りはじめているのはなぜか。現在の人口減少が食糧不足や病気や犯罪のために起こっているようには見えない。人口減少や少子化が急速に進んでいるのは貧しい国々ではなく、むしろ多くの先進国や一部の新興国（中国や韓国のような）だからだ。

この現象はマルサスが予想もしなかった理由によって進行している可能性がある。それは、現在の過剰な技術社会、情報化社会が人間の生物としての本質を抑圧していることの結果だとするものだ。もしかすると現代人は、生物の種として劣化しはじめているのかもしれない。■

◉執筆
矢沢 潔 *Kiyoshi Yazawa*
科学雑誌編集長などを経て1982年より科学情報グループ矢沢サイエンスオフィス(㈱矢沢事務所)代表。内外の科学者、科学ジャーナリスト、編集者などをネットワーク化し30数年にわたり自然科学、エネルギー、科学哲学、経済学、医学(人間と動物)などに関する情報執筆活動を続ける。オクスフォード大学教授の理論物理学者ロジャー・ペンローズ、アポロ計画時のNASA長官トーマス・ペイン、宇宙大規模構造の発見者ハーバード大学のマーガレット・ゲラー、SF作家ロバート・フォワードなどを講演のため日本に招聘したり、火星の地球化を考察する「テラフォーミング研究会」を主宰し「テラフォーミングレポート」を発行したことも。編著書100冊あまり。これらのうち10数冊は中国、台湾、韓国で翻訳出版されている。

新海裕美子 *Yumiko Shinkai*
東北大学大学院理学研究科修了。1990年より矢沢サイエンスオフィス・スタッフ。科学の全分野とりわけ医学関連の調査・執筆・翻訳のほか各記事の科学的誤謬をチェック。共著に『人類が火星に移住する日』、『ヒッグス粒子と素粒子の世界』、『ノーベル賞の科学』(全4巻)、『薬は体に何をするか』『宇宙はどのように誕生・進化したのか』(技術評論社)、『次元とはなにか』(ソフトバンククリエイティブ)、『この一冊でiPS細胞が全部わかる』(青春出版社)、『正しく知る放射能』、『よくわかる再生可能エネルギー』、図解シリーズ『科学の理論と定理と法則がよくわかる本』、『確率と統計がよくわかる本』、『人体のふしぎ』、『図解相対性理論と量子論』、『図解科学12の大理論』『図解始まりの科学』『図解数学の世界』(学研)など。

カバーデザイン◉**StudioBlade**(鈴木規之)
本文DTP作成◉**Crazy Arrows**(曽根早苗)
イラスト・図版◉細江道義、高美恵子、十里木トラリ、矢沢サイエンスオフィス

理論を知れば世界が見える!
【図解】科学の理論と定理と法則 決定版
2020年10月8日 第1刷発行

編 著 者◉矢沢サイエンスオフィス
発 行 人◉松井謙介
編 集 人◉長崎 有
企画編集◉早川聡子

発 行 所◉株式会社 ワン・パブリッシング
〒141-0031 東京都品川区西五反田2-11-8

印 刷 所◉凸版印刷株式会社

[この本に関する各種お問い合わせ先]
・本の内容については、下記サイトのお問い合わせフォームよりお願いします。
https://one-publishing.co.jp/contact/
・在庫については Tel 03-6431-1205(販売部直通)
・不良品(落丁、乱丁)については Tel 0570-092555
業務センター 〒354-0045 埼玉県入間郡三芳町上富279-1

★本書は『科学の理論と定理と法則がよくわかる本』(2016年・学研プラス刊)に全面的な改稿を加えて再編集したものです。